Издание осуществлено при участии
Швейцарского культурного фонда
"PRO HELVETIA"

Carl Gustav Jung

*mit Selbstzeugnissen
und Bilddokumenten
dargestellt von
Gerhard Wehr*

Rowohlt

Герхард Вер

Карл Густав Юнг

сам свидетельствующий
о себе и о своей жизни
(с приложением фотодокументов
и иллюстраций)

перевод с немецкого

LTD

Урал LTD
1998

УДК 159
ББК 88.7
В31

Перевод с немецкого
Елены АЗНАЧЕЕВОЙ

Герой предлагаемой читателю биографии — Карл Густав Юнг, основатель глубинной психологии, синтезировавший в своей психологической и психотерапевтической практике западные духовные традиции и древнюю мудрость Востока. Человек-легенда, яркий мыслитель, он оказал поистине огромное влияние на интеллектуальную жизнь XX века.

Биография построена на его собственных о себе свидетельствах и содержит уникальные фотоматериалы.

ISBN 5-88294-073-7 (рус.)
ISBN 3-499-50152-X (нем.)

© Издательство «Урал LTD», 1998
Originally published under the title
C. G. JUNG in the series «rowohlts monographien»
© Rowohlt Taschenbuch Verlag GmbH, Reinbek bei Hamburg, 1969
© Перевод — Е. Н. Азначеева, 1998
© Дизайн серии — А. Ю. Данилов, 1998

Содержание

Карл Густав Юнг

На рубеже

За последние столетия человеческий разум создал грандиозную картину человека, мира и действительности. Все, что можно было измерить, сосчитать, взвесить, нашло в ней свое место. Однако ко всему, что находится ниже или выше считающегося нормальным уровня сознания «современного» человека, относились с большим скептицизмом, предубеждением или даже с откровенной враждебностью.

При этом не было недостатка в предостережениях и указаниях, согласно которым в рамках выверенной наукой и техникой модели мира речь могла идти лишь о как бы «одноэтажном здании разума» и ничто не должно было располагаться на более высоком или более низком этажах. Если Гёте, к примеру, умел за материальными явлениями видеть первоначальную сущность, если мистикам и романтикам всех времен открывалось «мировое внутреннее пространство», если мыслители и поэты, исследовавшие проблемы человеческого существования, вглядывались в бездны судьбы и души, то не в последнюю очередь ощущалась нужда и во враче, который мог бы ставить диагнозы и искать пути исцеления.

В середине (по Мартину Хайдеггеру) «самого темного из всех предшествующих столетий» нового времени, в 1856 году, родился Зигмунд Фрейд. Ему, врачевателю душ, предстояло интеллектуальными средствами своего времени проникнуть в глубины человеческой психики и начать анализировать до той поры лишь смутно угадываемое «подсознательное». Первооткрывателю суждено было стать великим обличителем, признательность современников пришла много позже.

В Карле Густаве Юнге Фрейд нашел ученика, сумевшего стать для него равноправным партнером, способным на творческое сотрудничество и конструктивную критику, которой так недоставало современной психологии. Так кто же такой Юнг и чего он хочет?

Я — врач, который имеет дело с болезнями человека и его времени и изыскивает средства, соответствующие природе недуга. Психопатологические исследования побудили меня воскресить исторические символы и образы из могильного праха. Я видел, что недостаточно избавить моих пациентов от симптомов болезни...

Нам нужны не столько идеалы, сколько немного мудрости и интроспекции, нам нужен тщательный учет религиозного опыта бессознательного. Я намеренно говорю «религиозного», потому что мне кажется, что этого опыта, который помогает сделать жизнь более здоровой или более прекрасной, более совершенной или более осмысленной для самого человека или для тех, кого он любит, достаточно, чтобы осознать: это была милость Господа.[1]*

Это признание престарелый Карл Густав Юнг сделал в связи с интервью с Георгом Герстером для «Вельтвохе». Заодно он дал им ответ на явный или подразумеваемый вопрос, имеем ли мы в нем приверженца средневековой мистики или восточного посвященного, религиозного реформатора или даже основателя религии нового времени. Этот вопрос напрашивается, потому что целитель душ не ограничивался врачебной практикой, а занимался также изучением сви-

---

* Цифры указывают на примечания на с. 185 и далее.

детельств спиритически-религиозного опыта, религиозных и духовных практик Азии, равно как и раннехристианского гнозиса или алхимии позднего средневековья.

Заслуживает внимания еще один момент, если мы не хотим видеть в исследователе архетипов человеческой психики, то есть коллективного бессознательного, человека, который лишь описывает и затем анализирует опыт других, главным образом предшествующих, стадий сознания. К. Г. Юнг черпал из самонаблюдений и собственных переживаний. Его позднее произведение *Воспоминания, сновидения, размышления*, записанное и изданное Аниэлой Яффе, его ученицей и единомышленницей, красноречиво свидетельствует об этом. Этот собственный опыт внутреннего созерцания помогает правильно оценить многоплановый врачебный психотерапевтический труд жизни К. Г. Юнга. О том, что ему открылось в его снах и видениях, он говорит следующим образом: *Они явились исходным материалом для моей научной работы. Они были огненной магмой, из которой выкристаллизовался камень.*[2] И еще: *Все мои работы, всё, что я создал, имеет своим началом инициально-воображаемое.*

Итак, мистик ли это, который вступил на таинственный путь самопознания? В любом случае к этому замечанию надо прислушаться. И кто хочет понять исследования швейцарского психолога, тот должен себе уяснить, какого рода были инициация и видения, коих сподобился К. Г. Юнг, и прежде всего — какой цели они послужили.

Начало

Карл Густав Юнг родился 26 июля 1875 года в общине Кесс-виль у Боденского озера, в швейцарском кантоне Тургау, в семье пастора евангелистской реформаторской церкви Иоганна Пауля Ахиллеса Юнга (1842—1896) и его жены Эмилии, урожденной Прайсверк (1848—1923).

По данным Аниэлы Яффе, семья Юнгов происходит из Майнца. «Прадед Юнга врач Игнац Юнг (1759—1831) переехал из Майнца в Маннгейм. Во время наполеоновских войн он руководил лазаретом. Его брат, получивший позднее дворянство Сигизмунд фон Юнг (1745—1824), был баварским канцлером. Он был женат на младшей сестре фон Шлейермахера». В целом можно сказать, что религия и медицина, вера и естественные науки всегда играли большую роль в семье Юнгов. Теологи были также и со стороны матери в семье Прайсверков. Дед Юнга Карл Густав Юнг (1794—1864) был врачом, в возрасте 28 лет он приехал в Швейцарию и участвовал там в создании Базельского университета. Внук рассказывал о нем: *Он был сильной и яркой личностью. Крупный организатор, необыкновенно активный, блестящий, остроумный и красноречивый. Я сам испытал его влияние. Да, да: профессор Юнг, это кое-что значило в Базеле. Его дети находились под сильным воздействием его личности.*[3]

Когда Карлу Густаву исполняется полгода, семья пастора переезжает на четыре года в Лауфен недалеко от Рейнского водопада под Шафхаузеном. *Мои первые воспоминания относятся к двух- или трехлетнему возрасту. Я помню дом пастора, сад, церковь, замок, Рейнский водопад, небольшой зáмок Вёрс и крестьянский двор церковного сторожа. Все это только островки воспоминаний...*[4]

Эти воспоминания, прежде всего то, которое уже в раннем возрасте оставило у Карла Густава неизгладимое впечатление, были, строго говоря, внутренними переживаниями («Innerungen»). Здесь, без сомнения, главный момент биографии. «Интроверсией» назовет позже психолог в своем учении о психологических типах эту углубленность в себя. *В сущности, лишь те события моей жизни заслуживают рассказа о себе, в которых непреходящий мир врывался в преходящий,* замечает он в возрасте 83 лет. *Рядом с событиями внутренней жизни блекнут другие воспоминания, путешествия, люди и окружающий мир. Многие пережили историю своего времени и рассказали о ней; и об этом лучше всего прочитать у них или послушать их рассказы. Воспоминания о внешних фактах моей жизни по большей части потускнели или исчезли. Но все встречи с иной реальностью, столкновения с бессознательным навсегда запечатлелись в моей памяти. Там всегда были полнота и изобилие, а все другое отходило на задний план.*[5]

Открывшаяся перед ним сфера сновидений и воображения была в течение всей его жизни источником, *исходным материалом для научной работы.* Значительным в этой связи является уже первое запомнившееся сновидение, которое было у него в трех- или четырехлетнем возрасте в Лауфене. Во сне, о содержании которого Юнг размышлял в течение всей своей жизни,— характерно, что он рассказал его, уже будучи зрелым человеком, в возрасте 65 лет,— мальчик видит себя перед темным, облицованным камнем прямоугольным отверстием в стене. Он находит его на большом лугу недалеко от родительского дома. В автобиографических записках говорится:

С любопытством я подошел ближе и посмотрел вниз. Тут я увидел каменную лестницу, которая вела в глуби-

Дом в Кессвиле у Боденского озера, где родился К. Г. Юнг

ну. Медленно и робко я спустился по ступенькам. Внизу находилась дверь с аркой, занавешенная зеленым занавесом. Занавес был большим и тяжелым, как из тканого материала, похожего на парчу, и мне бросилось в глаза, что он выглядел очень дорогим. Сгорая от любопытства, что же могло за ним скрываться, я раздвинул его и увидел в сумеречном свете квадратное помещение длиной около десяти метров. Сводчатый потолок был из камня, и пол также был вымощен каменными плитками. Между входом и низкой эстрадой расстилался красный ковер. На эстраде стоял необыкновенно роскошный золотой трон. Я не уверен, но кажется, его обивка была из красной ткани. Кресло было великолепным, как в сказке, настоящее королевское кресло! На нем что-то стояло. Это был гигантский предмет, который почти достигал потолка. Вначале я подумал, что это высокий ствол дерева радиу-

*Родители: протестантский священник Иоганн Пауль Ахиллес Юнг
и его жена Эмилия, урожденная Прайсверк, в марте 1876*

сом около пятидесяти или шестидесяти сантиметров и высотой примерно от четырех до пяти метров. Предмет выглядел странно: он состоял из кожи и живого мяса и наверху была своего рода голова круглой шарообразной формы без лица и волос; лишь совсем сверху на месте пробора находился единственный глаз, который неподвижно смотрел вверх...[6]

Лишь спустя годы сновидцу приоткрывается нечто от смысла увиденного, и лишь став известным психологом, он понимает, что мальчиком пережил встречу с творческим принципом в образе фаллического архетипа. *Благодаря этому детскому сну я был посвящен в тайны земли... Это была своего рода инициация в царство тьмы.*[7]

Это и ему подобные происшествия означают начало духовного переживания, которое продолжается до самой старости и время от времени пробивает стену, разделяющую «в нормальных случаях» рациональное и иррациональное, сознательное и бессознательное, мир по эту сторону и потусторонний или кажущийся таковым мир. Это переживание стало возможным из-за повышенной чувствительности и, конечно, благодаря некоторым обстоятельствам, имеющим судьбоносный характер. Нельзя не вспомнить также о падении с лестницы и тяжелом повреждении головы: одно время Юнг находится между жизнью и смертью, позднее у него случаются обмороки. В своей автобиографии он говорит даже о *роковом противодействии жизни в этом мире*. Все это усиливает впечатление, что структура личности этого человека как бы расшаталась и он стал более восприимчив для картин и образов *царства теней, от которого некуда было деться*.

Для мальчика это явилось обстоятельством, создавшим первые существенные проблемы. Правда, внешне он живет такой же жизнью, как и его сверстники (с 1879 года его отец служил в церковной общине Кляйн-Хюнинген под Базелем). Но мальчик как будто ведет двойную жизнь. Он думает, *что по своей сути и в реальности он представляет собой две различные личности, которые* к тому же живут в разное время. Так, он воспринимает себя как базельского школьника, который должен много заниматься, особенно по математике, физкультуре и рисованию, чтобы не отстать от своих товарищей. *Вместе с тем существовал и другой мир, и он был как храм, в котором каждый приходящий преображался. Потрясенный созерцанием целостной картины мира и забывая о самом себе, он мог лишь удивляться и восхищаться. Здесь жил мой «другой», который знал Бога как таинственное, персонифицированное и одновременно сверхличное существо. Здесь ничто не отделяло человека от Бога. Было такое впечатление, как будто человеческий дух и Бог вместе смотрели на мироздание.*[8]

Таким образом противостоят друг другу *личность №1* и *личность №2.* Юнг указывает на то, что это наличие и взаимодействие обеих «личностей» ничего общего не имеет с раздвоением в медицинском психопатологическом смысле. *Номер 2* — внутренняя сущность человека,— который играет такую важную роль в сфере религии, преобладал и в его жизни, *и я всегда старался дать свободу тому, что приходило ко мне изнутри.*

Из-за этой скрытой стороны его жизни он уже ребенком переживал такие странные состояния, которые если и могли быть кем-либо понятны, то скорее всего лишь его матерью. *Моя мать была для меня очень хорошей матерью. От нее исходило живое тепло... Временами проявлялось ее бессознательное начало, оно было необыкновенно сильным: мрачный, могучий образ, обладающий непререкаемым авторитетом,—*

в этом не было никакого сомнения. Я был уверен, что она тоже состояла из двух личностей: первая была безобидной и доброй, в другой, напротив, было что-то жуткое.[9]

С отцом всё совсем по-другому. И к нему сын относился с уважением, однако вместе с тем довольно скептически. Отец не только не понимает того, что так глубоко трогает мальчика, но и, как следует из *Воспоминаний, сновидений, размышлений,* весьма далек от этих проблем. Теологу, добросовестно выполняющему свой служебный долг и имеющему прежде всего филологические наклонности, чужда вся сфера внутреннего опыта. Уже в молодые годы, в то время, когда отец дает ему скучные уроки для подготовки к конфирмации, Карл Густав приходит к убеждению, что многие теологи, как и его отец, совсем не знают на основании собственного религиозного опыта, что́ они проповедуют и пытаются объяснять. *Тогда мне вдруг стало ясно, что Бог, по крайней мере для меня, был одним из наиболее надежных и непосредственных опытов.* Наряду с этим существует и другое высказывание: *Занятия моего №2 вызывали у меня усиливающиеся депрессии, так как в области религиозных вопросов я натыкался лишь на закрытые двери, а если таковые случайно открывались, я еще больше разочаровывался... Я чувствовал себя совершенно одиноким с моими озарениями. Я бы с удовольствием поговорил об этом с кем-нибудь, но нигде не находил точек соприкосновения — напротив, я чувствовал в других отчужденность, недоверие, страх, что окончательно лишало меня дара речи. Это угнетало меня.*[10] Но не только подростком в переходном возрасте он чувствует себя *вытолкнутым в почти невыносимое одиночество.* Вся его жизнь находится под знаком тайны. И конечно, не только чувство горечи, но и трезвое представление о способности окружающих его людей к пониманию

В возрасте шести лет. 18 ноября 1881

Позади дома священника в Кляйн-Хюнингене под Базелем

побуждают его записать в 83-летнем возрасте: *Но я и сегодня одинок, потому что я знаю и должен говорить о вещах, о которых другие люди не знают и по большей части ничего не хотят знать.*[11]

Здесь хотелось бы вспомнить слова Фауста, которые излились в душу Юнга «как чудесный бальзам» и дали ему ответ на вопрос о сущности зла:

> Что значит знать? Вот, друг мой, в чем вопрос.
> На этот счет у нас не всё в порядке.
> Немногих, проникавших в суть вещей
> И раскрывавших всем души скрижали,
> Сжигали на кострах и распинали,
> Как вам известно, с самых давних дней.*

_____

* Пер. Б. Пастернака.

Юнг никогда не сомневался в том, что сила, которую он почерпнул из опыта ранних лет жизни, во многом сформировала его последующую жизнь и все его творчество. Об этом убедительно свидетельствуют детальные описания в *Воспоминаниях, сновидениях, размышлениях*. То, что сумеет объяснить лишь опытный психотерапевт после нескольких десятков лет самонаблюдений и исследовательской работы, все это шаг за шагом разворачивается в душе подростка, а именно мир, в котором существуют не только факты, укорененные во времени и в пространстве, но и события — возможно, следует сказать: измерения действительности,— отражающиеся на физическом плане в виде образов и воспринимающиеся наблюдающим в снах и видениях как реальные. Педагогическое и духовное руководство, в котором мальчик нуждается как никто другой, отсутствует. Не только школа как учебное учреждение, но также — и прежде всего — церковь, на службе которой состоит отец, оказываются бессильными. *Постепенно посещение церкви становилось для меня мукой, потому что там громко — мне почти хочется сказать: бесстыдно — произносились проповеди о Боге, о том, что Он делает и намеревается сделать. Людей убеждали иметь те чувства, верить в ту тайну, о которой я знал, что это самая задушевная, самая интимная, невыразимая словами реальность. Из этого я мог сделать вывод, что, видимо, никто не знает этой тайны, даже священник; иначе разве посмели бы они публично выдавать божественную тайну и профанировать невыразимые чувства с помощью безвкусных сентиментальностей.*[12]

Мальчик, оставленный один на один со своими мыслями и сверхвосприимчивостью, вынужден был самостоятельно искать свой путь, чтобы в будущем получить ответы на свои вопросы. Пока же он живет в Кляйн-Хюнингене и ходит в школу. С одиннадцати лет (1886) он посещает гимназию в Базеле. Его товарищи — это большей частью сыновья состоятельных родителей, которые дают своим детям достаточно карманных денег и могут порадовать их дорогостоящими путешествиями во время каникул. У Карла Густава дела обстояли иначе. *Я понял тогда, что мы бедны, что мой отец — бедный деревенский священник, а я — еще более бедный сын священника, с продырявленными подошвами ботинок, который должен был по шесть часов сидеть в школе в мокрых чулках. Я начал смотреть на своих родителей другими глазами и стал понимать их заботы и огорчения. Особую жалость я испытывал к отцу и, как ни странно, меньшую — к матери: она казалась мне более сильной.*[13]

Примерно между шестнадцатью и семнадцатью годами приступы депрессии становятся более редкими. Молодой человек знакомится с великими идеями и личностями из истории философии. *Я начал систематически заниматься определенным кругом вопросов... Ближе других мне были идеи Пифагора, Гераклита, Эмпедокла и Платона, несмотря на длинноты сократовских аргументов в его диалогах.*[14] В то время как аристотелевский интеллектуализм святого Фомы оставляет юношу холодным, философия Шопенгауэра значит для него очень много. *Мрачная картина мира Шопенгауэра нашла во мне не разделенный никем отклик, однако предлагаемое им решение проблемы меня не удовлетворяло.*[15]

Параллельно с этими первыми попытками изучения философии наступают события, которые *вытолкнули меня из моей обычной будничной жизни в безграничный «Божий мир».* Однако Божий мир для Юнга — это не толь-

ко сфера чистой, неземной духовности. Землю, прежде всего мир растений, он воспринимает как земную форму проявления этой реальности. *Выражение «Божий мир», которое для некоторых ушей звучит сентиментально, ни в коей мере не было для меня таковым. К «Божьему миру» относилось все «сверхчеловеческое», ослепительный свет, тьма бездны, холодное безразличие бесконечности во времени и в пространстве и зловещий гротеск иррационального мира случайностей. «Бог» был для меня чем угодно, только не назиданием.*[16]

На повестку дня встает проблема выбора профессии. Интерес гимназиста пробудили естественные науки и историко-археологические исследования греко-римской, египетской и доисторической эпох. *В естественных науках меня удовлетворяли конкретные факты и их предыстория, в богословии и философии — духовная проблематика. В первых мне недоставало смыслового фактора, в последних — эмпирики.* В этой связи представляет интерес, как обе души Юнга, *личность №1 и личность №2,* как он их называет, соотносились с его профессиональными склонностями: *Естественные науки в большой мере соответствовали духовным потребностям номера 1, гуманитарные или исторические дисциплины, напротив, были благотворны для номера 2.*[17] Теология в расчет явно не принимается. Отец и тот почти отговаривает от нее. Сын считает даже, что именно теология или, точнее, вообще церковное христианство отдалило его от отца. *Я был в нерешительности и колебался между естественными и гуманитарными науками. И те, и другие сильно привлекали меня.*[18]

Если вспомнить слова Юнга о том, что у него было сильное чувство, будто он испытывает влияние обстоятельств или проблем, оставленных без внимания или не до конца разрешенных его родителями, дедами и прадедами, то, рассматривая такой важный вопрос, как профессиональный выбор, нужно признать его несомненную предопределенность. При этом мы в первую очередь должны вспомнить о его деде Карле Густаве Юнге, который с 1822 по 1864 год был профессором медицины в Базельском университете и получил известность как анатом, хирург, акушер и терапевт. Франц Н. Риклин пишет о К. Г. Юнге: «В стремлении Юнга обратиться к изучению медицины наряду с чисто практической необходимостью решающую роль сыграл также этот давно скончавшийся предок. Дух деда, хорошо известного своим свободолюбием, в сочетании с соответствующими чертами характера со стороны предков по материнской линии, жил и в нем и явился, должно быть, движущей силой его стремления самому создать нечто значительное».

Принятый на учебу в Базельский университет, студент медицины сталкивается со сложными материальными проблемами, которые, не говоря уже об относительно скромном материальном положении семьи, еще более усугубляются в связи со смертью отца (в 1896 году) и с которыми ему удается справиться и продолжить учебу лишь благодаря посторонней помощи, должности младшего ассистента и продаже небольшой антикварной коллекции. Юнг признается: *Я не жалею о тех днях нищеты — я научился ценить простые вещи... Оглядываясь назад, я могу сказать лишь одно: время учебы было для меня чудесным временем.*[19]

В конце второго семестра к обязательным учебным предметам присоединяется знакомство со спиритической литературой, которая была популярна в конце XIX века. *Какими бы странными и сомнительными ни казались мне наблюдения спиритов, они были для меня первым объективным свидетельством о психических феноменах. Такие имена, как Цёлльнер и Круукс, кое-что значили для меня, и я прочел всю доступную мне тогда литературу о спиритизме.*[20] Карл де Прель, Эшенмейер, Пассаван, Юстинус Кернер, Гёррес и *семь томов Сведенборга* дают теоретические и философские основы для его истолкования. Проводятся спиритически-парапсихологические эксперименты, записываются соответствующие результаты. Несмотря на критическое и скептическое отношение Юнга к этим опытам, сделанные при этом наблюдения представляются ему пригодными для использования в качестве материала для диссертации по медицине, которая появляется под названием *О психологии и патологии так называемых оккультных феноменов* в 1902 году. *Я узнал нечто объективное о человеческой душе. Но этот опыт был такого свойства, что я ничего не мог о нем рассказать. Я не знал никого, кому бы я мог доверить его полностью.*[21]

Когда Юнг готовится к государственному экзамену (1900), ему еще не ясно, в каком направлении будет идти его будущая работа в качестве врача. То, что это может быть психи-

Студент в Базеле (сидит, третий слева). Около 1896

Карл Густав Юнг (1794 — 1864), дед с отцовской стороны
Картина Бельца, 1848
Старый актовый зал Базельского университета

атрия, для него маловероятно. Но когда он открывает «Учебник психиатрии» Крафт-Эбинга и знакомится с тем, что психиатр со своей точки зрения может сказать о проблеме «болезни личности», то с ним происходит своего рода озарение. Теперь он знает, что для него начинается тот путь, который он так долго искал. В репортаже лондонской телерадиоком-

Ойген Блойлер

пании Би-Би-Си в честь его 80-летия Юнг еще раз подчеркнул, какое значение имел для него когда-то труд Крафт-Эбинга: *Тогда это привело меня в величайшее возбуждение. Я неожиданно почувствовал себя совершенно охваченным своего рода интуитивным прозрением. В то время я не смог бы сформулировать это ясно, но я чувствовал, что коснулся сути проблемы. И тогда я сразу решил стать психиатром, так как я наконец увидел возможность соединить мой интерес к философии, к естественным наукам и медицине, что для меня было главной задачей.*[22] Начинающий врач нашел предназначенную ему судьбой цель и приступил к ее реализации.

Вскоре после окончания учебы в университете в 1900 году К. Г. Юнг поступает в психиатрическую клинику Бургхёльцли в Цюрихе, чтобы начать работу ассистентом под руководством Ойгена Блойлера, профессора психиатрии. Это время, когда для лечения душевнобольных используют прежде всего гипноз. В Бургхёльцли также практиковали гипноз, с переменным успехом. В восьмидесятые годы XIX века один молодой невропатолог специально приехал из Вены в Париж и Нанси, чтобы у тамошних светил познакомиться с методами лечения с помощью гипноза. Этот самый врач — им был Зигмунд Фрейд — опубликовал совместно с Иосифом Бройером свою новаторскую работу «Труды об истерии». В 1900 году по-

Со своей женой Эммой, урожденной Раушенбах. Около 1903

является «Толкование сновидений» Фрейда, которое открывает новую главу в психиатрических исследованиях и психотерапевтических методах лечения. Хотя Юнг в этом же году познакомился с «Толкованием сновидений», ему лишь шестью годами позже было суждено глубже вникнуть в содержание быстро разворачивающегося учения Фрейда, познакомиться с группирующейся вокруг него венской аналитической школой и начать обмен мнениями с основоположником современной глубинной психологии.

Последующие годы в клинике Бургхёльцли заполнены для Юнга будничной работой врача отделения. Наряду с этим он все же находит время, чтобы закончить свою диссертацию. Затем появляются *Исследования словесных ассоциаций*. При этом речь идет о методе, который применялся и до Юнга. Испытуемому читают ряды слов. На каждое из них он должен отвечать с помощью ассоциаций. Время,

1904

требующееся на реакцию, измеряется. В ходе этих экспериментов выявляются эмоциональные комплексы, позднее называемые просто «комплексами». Под ними подразумевается содержание индивидуального бессознательного, которое Юнг отличает от позднее открытых «архетипов» коллективного бессознательного.

Исследования Юнга успешно продвигаются вперед. Его работа получает признание среди коллег. Вскоре специалисты в области психиатрии начинают проявлять интерес к тому, что происходит в Бургхёльцли. В 1905 году Юнг защищает докторскую диссертацию, одновременно он начинает работать в должности старшего врача. Однако перед лицом этих несомненных успехов Юнг не забывает, что он пока лишь ученик на этом пути. *Годы в Бургхёльцли были моими годами учения.* Он знает также, что не в последнюю очередь он учился благодаря людям, которых ему доверили для лечения. *Из встреч с моими пациентами и занятий психологическими явлениями, которые проходили передо мной в неисчерпаемой череде образов, я узнал бесконечно много, и не только о том, что относилось к науке, но прежде всего о себе самом,— и в немалой степени я пришел к этому через ошибки и поражения. Из моих пациентов большинство составляли женщины, которые по большей части были исключительно добросовестны, восприимчивы и умны. Они в значительной мере способствовали тому, чтобы мне удалось открыть новые пути в терапии. Некоторые из пациентов стали моими учениками в буквальном смысле этого слова, они сделали мои мысли достоянием мира. Среди них я нашел людей, дружба с которыми продолжалась десятилетиями.*[23]

Встреча и разрыв с З. Фрейдом

В июле 1906 года Юнг пишет предисловие к своей работе *О психологии Demantia praecox* (шизофрении), которая выходит в свет в 1907 году. Это время, когда начинается его переписка и завязывается личный контакт с Зигмундом Фрейдом. Поэтому интересно познакомиться с тем, как вначале Юнг оценивает значение Фрейда:

Даже беглый взгляд на страницы моей работы показывает, сколь многим я обязан гениальным концепциям Фрейда... Я могу заверить, что у меня, конечно, с самого начала были те же возражения, которые выдвигались против Фрейда в литературе... Справедливость по отношению к Фрейду не означает, как опасаются многие, безусловного подчинения догме; при этом вполне можно сохранить свое независимое суждение. Юнг анализирует проблемы, которыми занимался Фрейд, и продолжает: *Если я, к примеру, признаю комплексные механизмы сна и истерии, то это еще вовсе не означает, что я придаю исключительное значение юношеской сексуальной травме, как это, по всей видимости, делает Фрейд; так же мало я расположен выдвигать сексуальность на первый план или приписывать ей психологическую универсальность, постулируемую Фрейдом, как кажется, под воздействием той действительно огромной роли, которую сексуальность играет в психике... Но все же это лишь мелочи, совершенно теряющиеся рядом с психологическими принципами, открытие которых — величайшая заслуга Фрейда и которым критика уделяет слишком мало внимания.*[24] (Вопрос о том, не слишком ли оптимистично со стороны Юнга считать некоторые вещи «мелочами», остается открытым. По крайней мере, сформулированное и применяемое Фрейдом понимание либидо никогда не было для него мелочью.)

Эти выдержанные в положительном тоне высказывания Юнга в начальный период развития психоанализа не единичны. Несмотря на наличие явных расхождений, выступление Юнга в защиту новаторской работы Фрейда все же трудно переоценить. «В те дни в Вене... предубеждение про-

Зигмунд Фрейд

тив него [Фрейда] было так велико, что трудно было найти ученика, пользующегося хоть какой-то известностью», — пишет Эрнест Джоунз, ученик и биограф Фрейда. К этому предубеждению надо добавить то обстоятельство, что почти все первые ученики Фрейда были евреями, как и он сам. Перед лицом все усиливавшегося антисемитизма Фрейду, очевидно, следовало подумать о том, чтобы психоанализ не воспринимался как специфически еврейское учение... И за пределами Вены концепция Фрейда не пользовалась пониманием со стороны специалистов по психиатрии; вначале многие из его коллег полностью отрицали его учение, доходило даже до подозрений. В 1910 году на медицинском конгрессе тайный медицинский советник Вейгандт констатировал: «Теории Фрейда не имеют ничего общего с наукой, скорее они относятся к компетенции полиции...»

В книге *Психология бессознательных процессов*, вышедшей в 1917 году, Юнг вспоминает о том, каким, с его точки зрения, был отклик коллег на важнейшие работы Фрейда: *Первая крупная работа в этой области* (Фрейд—Бройер, «Труды об истерии», 1895) *едва пробудила слабый отклик несмотря на то, что она содержала совершенно новое понимание неврозов. Некоторые авторы высказывались о ней одобрительно и на следующей же странице продолжали представлять исследуемые ими случаи истерии на старый лад... Последующие публикации Фрейда вообще прошли незамеченными, несмотря на наблюдения, имевшие огромное значение именно для психиатрии. Когда Фрейд в 1900 году написал первую настоящую психологию сна (до того в этой области царил кромешный мрак), ее встретили смехом, а когда в 1905 году он начал освещать психологию сексуальности* («Три трактата о теории сексуальности», 1905), *его обругали.*[25] Это отношение менялось медленно, тем более что университетские психологи немало способствовали тому, чтобы Фрейду было отказано в заслуженном им признании — например, запоздалым присвоением ему звания профессора. Ту известность, которая до сих пор связана с именем Фрейда и его произведениями, он получил окольным путем — через насмешки и издевательства. Для К. Г. Юнга, которому в то время исполнился 31 год, поддержка Фрейда была, таким образом, связана со значительным риском.

В 1906 году могла пострадать научная репутация старшего врача из Бургхёльцли.

В феврале 1907 года по приглашению Фрейда состоялась первая встреча в Вене, в квартире Фрейда на Бергштрассе 19, где он проживал до своего изгнания в 1938 году: *Мы встретились в час пополудни и говорили тринадцать часов практически без перерыва...* Юнг признается, что Фрейд сначала и на него, как на многих других современников, произвел *странное впечатление.* Юнгу нужно было подробнее познакомиться со своеобразным образом мыслей австрийца и выяснить, существуют ли на самом деле причины для уже наметившихся расхождений и каковы те моменты, в которых Юнг не мог следовать за основателем психоанализа. При сравнении Фрейда и Юнга следует иметь в виду, что уже сама атмосфера Вены последних десятилетий существования старой австро-венгерской империи, представляемая выходцем из еврейской интеллигенции, должна была особым образом воздействовать на сформировавшегося под влиянием других культурных традиций швейцарца. К этим различиям среды добавляются также психологические различия, которые Юнг позже сформулирует в соответствии со своим учением о типах, относя себя самого к интровертам и описывая Фрейда как выраженного экстраверта.

Но прежде всего различие между обоими психологами проявляется в их научных теориях. Вначале появилась сексуальная теория Фрейда: *То, что он рассказал мне о своей сексуальной теории, произвело на меня впечатление. Однако ему не удалось рассеять моих сомнений. Я неоднократно высказывал их, но он каждый раз возражал мне, указывая на недостаток моего жизненного опыта.*[26] Старшему из них был тогда пятьдесят один год, младшему — тридцать два. *Фрейд был прав: тогда у меня не хватало опыта, чтобы обосновать мои возражения.* Прежде всего Юнг убеждается в том, как много значит для Фрейда *в личном и философском плане* его теория. *Более всего мне казалось сомнительным отношение Фрейда к духу. Как только речь заходила о духовности, будь то в разговоре с каким-либо человеком или в произведении искусства, он подозревал в этом проявление «вытесненной сексуальности». То, что не имело прямого отношения к сексуальности, он называл «психосексуальностью».*[27] Как известно, Фрейд сделал соответствующие выводы для объяснения происхождения и сущности культуры, когда он утверждал, что культура основана на отказе от влечения (ср. «Неудовольствие в культуре»).

Впрочем, Юнг не делает секрета из того, какое сильное впечатление на него произвел Фрейд: *Фрейд был первым по-настоящему значительным человеком из встреченных мною. Ни один другой человек из тех, кого я знал до сих пор, не мог с ним сравниться. В его взглядах не было ничего тривиального. Это был чрезвычайно умный, проницательный и во всех отношениях замечательный человек.* Однако он тут же добавляет: *И все же мое первое впечатление от него было неопределенным, кое-чего я не мог понять.*[28]

Что касается их встречи, то здесь, очевидно, смешиваются два момента: с одной стороны, безоговорочное и без всякой зависти признание профессиональной квалификации, даже гениальности, и человеческого величия Фрейда; с другой стороны, обнаружившиеся значительные противоречия. Эти расхождения объясняются принадлежностью к разным типам, а также исходными духовными позициями, по меньшей мере не совпадающими у обоих исследователей. Фрейд, родившись в 1856 году и будучи, таким образом, старше Юнга на 19 лет, слишком зависит от интеллектуальных пред-

Фрейд и Юнг. Фрагмент групповой фотографии

посылок своего века. «Точное естествознание» его времени явилось причиной того, что Фрейд скорее готов был придать догматичные или доктринёрские черты выдвигаемым гипотезам, чем решиться в спорных случаях выйти за установленные им самим рамки. Получившее в 1872 году известность выражение берлинского физиолога Эмиля дю Боа-Реймона — «Ignoramus et ignorabimus» (мы этого не знаем и не будем знать) — выражает позицию, которая была свойственна и Фрейду. При этом следует учесть и окрашенный материализмом скептицизм по отношению к познанию, с которым Фрейд со всей решительностью выступал против «черной грязи оккультизма», как он выразился в одном из своих первых разговоров с Юнгом. Фрейд полагал, что может укрепить выбор своей позиции «цитаделью», а именно понятием *либидо*. Так, Фрейд сказал в этой связи (примерно в 1910 году): «Мой дорогой Юнг, обещайте мне никогда не отказываться от сексуальной теории. Это самое главное. Знаете, мы должны сделать из этого догму, несокрушимую цитадель». И Юнг комментирует: *Это был удар, нанесенный в сердцевину нашей дружбы. Я знал, что я никогда не смог бы с этим смириться.*[29] Юнг, конечно, прав, указывая на то, что «догма» по своей сути не подлежит дискуссии и что подобные вещи не имеют ничего общего с научным подходом.

Но что понимал Фрейд под оккультизмом? Не секрет, что истинная эзотерика была дискредитирована из-за различного рода нелепых вымыслов. Это в полной мере подтверждает знакомство с соответствующей литературой начала века. Но Юнг высказывает предположение, что *Фрейд понимал под «оккультизмом» все, что могли сказать о душе философия и религия, включая возникшую в то время парапсихологию. У Фрейда под понятие «оккультизм» подпадало практически все... Для меня сексуальная теория была точно такой же «оккультной», т. е. недоказанной, лишь возможной гипотезой, как и многие другие спекулятивные представления. Научная истина была для меня удовлетворительной на тот момент гипотезой, но не догматом веры.*[30]

Даже если оставить открытым вопрос, могут ли — и если да, то в какой мере — парапсихологические феномены и их исследование служить достаточным основанием для опровержения материализма — для Юнга эти вещи с давних пор имели очень большое значение,— то небезынтересно, что думал Фрейд об этих проблемах в момент встречи с Юнгом. Как и следовало ожидать, тогда, в 1909 году, он отклонил *весь этот комплекс вопросов как абсурдный и обосновывал это таким поверхностным позитивизмом, что мне приходилось делать усилия над собой, чтобы не*

36

отвечать ему слишком резко.[31] Лишь много лет спустя Фрейд смог признать в происходящих в этой сфере явлениях «реальное ядро еще не познанных фактов», к которому он пытался приблизиться путем анализа сновидений.

Юнг следующим образом описывает случай, который произошел при его посещении квартиры Фрейда: *Как раз когда Фрейд приводил свои аргументы* (против парапсихологии), *у меня появилось странное ощущение. Мне стало казаться, что моя диафрагма состоит из железа и начинает раскаляться — раскаленная диафрагма. И в этот момент раздался такой грохот в книжном шкафу, рядом с которым мы стояли, что мы оба страшно испугались. Мы думали, что шкаф вот-вот обрушится на нас. Шум был в точности таким. Я сказал Фрейду: «Это так называемый каталитический феномен экстериоризации». «Ах,— ответил он,— это же форменная чепуха!» «Нет,— возразил я,— вы заблуждаетесь, господин профессор. И чтобы доказать, что я прав, я предсказываю, что сейчас еще раз будет точно такой же грохот!» И в самом деле: едва я сказал эти слова, раздался грохот из шкафа.*[32]

У Юнга было впечатление, что это происшествие породило у Фрейда недоверие к нему. *У меня было такое чувство, как будто я нанес ему вред.*

Больше об этом эпизоде не говорили. Но существует письмо Зигмунда Фрейда к Юнгу — оно имеется в приложении *Воспоминаний,*— которое датировано 16 апреля 1909 года и в котором еще раз затрагивается тема «стучащего духа», как выражался Фрейд. Мы узнаем из него, что дух в книжном шкафу Фрейда появился «в тот самый вечер, когда я [Фрейд] формально усыновил Вас как старшего сына, помазал Вас в преемники и кронпринцы — in partibus infidelium; Вы одновременно лишили меня отцовского достоинства, что, кажется, доставило Вам такое же удовольствие, как мне возвышение Вашей личности». В этом письме мы, в связи с этим таинственным и неприятным для Фрейда происшествием, еще раз находим подтверждение того, как Фрейд в свое время оценивал молодого швейцарского врача. Приподнятый стиль: «помазать в преемники, кронпринцы», к тому же еще «усыновить как старшего сына»,— подчеркивает ранг, в который венский мэтр возвел гостя из Швейцарии, оказав ему преимущество перед другими учениками.

Показательно и другое место из того же письма, где Фрейд с примесью самоиронии говорит об отцовско-сыновнем отношении: «Я снова надеваю отцовские роговые очки и призываю дорогого сына сохранять хладнокровие и лучше отказаться от попыток понимания чего-либо, чем приносить пониманию такие большие жертвы, качаю мудрой головой при мысли о психосинтезе и думаю: «Да, таковы они, молодые, истинную радость им приносит лишь то, куда им не нужно брать нас с собой, куда мы не можем успеть за ними с нашей одышкой и усталыми ногами».

Но как реагирует Юнг на подобные намеки? Не пытаясь предвосхитить того, что может еще открыть публикация переписки, Юнг все же записывает в своих автобиографических *Воспоминаниях: Наше знакомство значило для меня очень много. Я относился к Фрейду как к человеку старшему, как к более зрелой и опытной личности, а себя я воспринимал как сына.*[33] С другой стороны, английский друг и коллега Юнга Э. А. Беннет, очевидно, имел основания подчеркивать, что между Фрейдом и Юнгом никогда не было обычного отношения учителя и ученика.

Мы в любом случае не должны упускать из виду оттенка коллегиальности в их отношениях. Это подтверждалось еще тем фактом, что они оба были приглашены выступить с докладами в 1909 году в университете Кларка в Ворчестере, штат Массачусетс. Поездка, в которой их сопровождал ученик Фрейда Ференци, продолжалась семь недель и давала возможность для ежедневных контактов.

Из этой поездки в Америку Юнг вернулся не только с титулом почетного доктора права, но и с пониманием того, что гений Фрейда, на которого он смотрел через проецированный на него образ отца, ставил свой *личный авторитет выше истины*. Это следовало из разговоров с Фрейдом об анализе сновидений, о чем Юнг пишет в своих *Воспоминаниях*.

Что же все-таки привело к разрыву? На этот вопрос нельзя ответить одним предложением. Как уже было сказано, этому способствовали многие факторы. Едва ли можно ошибиться, полагая, что эта встреча имела характер хотя и значительного, но все же лишь эпизода в судьбе обоих. Прежде всего для Юнга, несмотря на все его уважение к Фрейду и признание исключительного значения его исследований. О многолетней совместной работе нечего было думать хотя бы из-за их психологических различий. Юнг приходит к выводу, что *Фрейд сам страдал неврозом, и к тому же с очень мучительными симптомами, легко поддающимися диагностике, как я обнаружил во время нашей американской поездки.* К этому добавляется наблюдение: *Я видел, что ни Фрейд, ни его ученики не могли понять, что означает для теории и практики психоанализа тот факт, что даже сам мэтр не может справиться с собственным неврозом.* Абсолютизация психоаналитического метода и его идентификация с теорией Фрейда играет решающую роль при отказе Юнга от сотрудничества: *мне ничего не оставалось, как удалиться.*[34]

Это «удаление» происходит одновременно с выступлением на литературное поприще. Юнг публикует свою книгу *Либидо: Его метаморфозы и символы,* в которой он по-иному, чем Фрейд, интерпретирует самую сердцевину его учения, а именно с самого начала поставленное под сомнение определение психической энергии. *Когда я при работе над книгой «Либидо: Его метаморфозы и символы» подошел к главе о «жертве», я уже знал заранее, что это мне будет стоить дружбы с Фрейдом.* Здесь рассматривается вопрос об инцесте, который должен был выявить значительные расхождения во взглядах. Различия обнаруживаются также при трактовке понятия «символ». В этой связи достаточно указать на то, что интерпретация «символов» Фрейдом носит причинный характер, и они, следовательно, представляют собой, скорее, симптомы. В отличие от юнгианского символически-архетипического понимания, у Фрейда трактовка того, что называется символом, имеет персонально-конкретизирующую окраску. Если Юнг под символом понимает выражение, указывающее на непосредственно невыразимое явление, то Фрейд путает это указание с самим явлением. Юнг показывает это на проблеме инцеста: *Для меня инцест лишь в самых редких случаях означает личное затруднение. В большинстве случаев он заключает в себе высокорелигиозное содержание, из-за чего он играет решающую роль почти во всех космогониях и многочисленных мифах. Но Фрейд цеплялся за дословное понимание и не мог понять духовного значения инцеста как символа.*[35] Это утверждение Юнга — уже заглавие книги *Либидо: Его метаморфозы и символы* имеет программный характер — Фрейд не мог принять, не отказавшись от основ своей психоаналитической теории.

О том, каким глубоким и продолжительным было воздействие этого разрыва на Юнга, он поведал в своих автобиографических записках. *В течение двух месяцев я не мог взяться за перо и мучился из-за конфликта. Следовало ли мне молчать о том, что я думал, или я должен был подвергать риску дружбу.*[36] Он рискнул и потерял дружбу Фрейда. Но и это еще не все: почти все друзья Юнга порвали с ним. *Я знал, что все поставлено на карту и что я должен был отстаивать мои убеждения.*

Следует, однако, отметить, что К. Г. Юнг не мог не отдать должное своему бывшему старшему другу и научному оппоненту. Он сделал это уже в связи со смертью Фрейда (1939), когда в «Basler Nachrichten» назвал психоанализ Фрейда *эпохальным трудом,* в котором была предпринята исключительно смелая попытка разрешить загадки бессознательного психического бытия, опираясь на по-видимому твердую почву эмпиризма. *Для нас, молодых психиатров, он был источником озарения, в то время как для старших коллег — предметом насмешек.*[37] И в возрасте восьмидесяти трех лет он добавляет: *Величайшее достижение Фрейда состояло, по-видимому, в том, что он всерьез относился к своим страдающим неврозом пациентам и вникал в их индивидуальные психологические особенности... Он смотрел, так сказать, глазами пациентов... Он не побоялся навлечь на себя непопулярность своим смелым подходом. Импульс, который он этим придал нашей культуре, состоял в открытии им доступа к подсознанию. Признанием сновидения в качестве важнейшего источника информации о процессах в бессознательном он вернул ценности, которые казались забытыми и непоправимо утерянными.*[38]

Впрочем, совсем небезынтересно и то, что, со своей стороны, чувствовал Фрейд после того, как другие друзья из венского круга единомышленников, например Адлер и Штекель, расстались со своим учителем. На вопрос Э. А. Беннета в 1932 году о разрыве с Юнгом Зигмунд Фрейд сказал: «Юнг был большой потерей».

Элементы учения

Очень сложно дать представление об учении, отличающемся таким масштабом, глубиной мысли, разнообразием фактов, как у Карла Густава Юнга. Уже существуют содержательные введения в его учение; достаточно упомянуть работы Фриды Фордман, Иоланды Якоби или Аниэлы Яффе, а также специальные монографии других учеников Юнга. Не говоря уже о неизбежной фрагментарности, свойственной «введениям» или таким очеркам, как этот, имеет значение и то обстоятельство, что далеко не каждый автор способен адекватно передать определения и описания К. Г. Юнга. Знаток произведений К. Г. Юнга понимает, что все явления находятся в движении и изменении. Лишь некритичные апологеты «мэтра» — а Юнг никогда не хотел быть мэтром юнгианцев! — могут полагать, что владеют абсолютной истиной. Однако высказывания Юнга имеют не только биографический, но также тематический и фактический контексты и должны интерпретироваться с их учетом. Поэтому об описании «элементов учения» Юнга можно говорить лишь с большой натяжкой.

Еще до того как Юнг разработал теоретические положения, на основе которых стало возможным появление сообщений о психических явлениях и гипотезах, свои представления о психике (он говорит о «психическом аппарате») развивал Фрейд. При изучении индивидуального развития человека Фрейд натолкнулся на древнейший пласт психики, который он назвал «Оно». «Его содержанием является все, что унаследовано, заложено при рождении, закреплено конституционно, то есть это прежде всего влечения, происходящие из телесного строения, которые находят здесь первичное физическое выражение в незнакомых нам формах». Это «Оно» окружено, согласно Фрейду, чем-то вроде «коркового слоя», снабженного органами для восприятия раздражений и защитными приспособлениями. Эта инстанция называется «Эго». Кроме всего прочего, его задачей является самоутверждение. К происходящему в области «Оно» психики присоединяется образующееся в «Эго» в период детства под влиянием воспитания, традиций и среды некое контролирующее приспособление — «Сверх-Я». На эту структуру «психического аппарата», кажущуюся сначала статичной, воздействуют силы, обусловливающие напряжение потребностей «Оно». Эти силы «Оно» имеют вид влечений. «Они представляют собой телесные требования к душевной жизни». Как известно, Фрейд представлял возникающую здесь энергию влечений — «либидо» — как преимущественно сексуальную, хотя он признавал также и энергию влечения к разрушению. На базе этой теории, определяющей место сознательного и бессознательного, рекомендующей сон или анализ сновидений как главный путь к образам бессознательного и обусловившей развитие психопатологии, Зигмунд Фрейд воздвиг здание своего учения о психоанализе. Следует по меньшей мере отметить, что от месмеризма, который возник в 1780 году и был скорее явлением донаучным, до психоанализа Фрейда на рубеже двадцатого века прослеживается путь, который проанализировала, например, Лилиана Фрей (в «Очерках по аналитической психологии К.Г. Юнга», том 1).

В труде и методе К. Г. Юнга гипотеза, конечно, также играет присущую ей ввиду неисследованности данной области науки роль. Однако, не противопоставляя его Фрейду, следует уважать указание Юнга на то, что он всегда хотел стать только врачом, для которого принципиальным является эмпирический путь, хотя и спекулятивный эле-

мент, то есть предопределенный судьбой дар созерцания и предвидения, временами имел для него решающее значение. Однако и этот элемент у Юнга используется в эмпирическом контексте. То, что являлось ему в сновидениях или, как он это называет, «интуитивным» путем, каждый раз подвергалось критической проверке. В каждом случае нужно было убеждаться, соответствуют ли новые результаты сделанным ранее выводам. То, что Юнг выдвигал в виде эвристической гипотезы, не должно было пониматься как раз навсегда данное, как краеугольный камень для законченной системы и тем более как научная догма. Сам Юнг рассматривал свои взгляды *как попытки и предложения для формулирования новой естественнонаучной психологии, которая опирается прежде всего на непосредственное познание человека.*[39] К тому же он постоянно подчеркивал, что его основная деятельность состояла в том, чтобы собирать, описывать и объяснять фактический материал. *Я не составил ни системы, ни общей теории, а сформулировал лишь вспомогательные понятия, являющиеся для меня инструментом, как это принято в любой естественной науке.*[40] Это подтвердил «British Medical Journal» в 1952 году: «В основе трудов Юнга сначала, конечно, факты и лишь затем — теории. Он эмпирик от начала до конца».[41]

Как эмпирик Юнг хочет быть психологом и психиатром, исследователем и врачевателем душ. Что же такое душа, рассматриваемая в этой перспективе?

В 1939 году Юнг назвал сборник работ своих учеников «Действительность души» и высказал этим основной тезис, определяющий все его творчество: душа реальна. Он указывает на то, что любой опыт является «психическим». Все чувственные восприятия, весь мир, воспринимаемый с помощью органов чувств, познаваем лишь через отражение объектов этого мира. Психика этим самым становится воплощением реальности, тем более что она не ограничивается лишь передаваемым в психических образах внешним миром, но охватывает еще — и прежде всего — широкую область психического внутреннего пространства. Поэтому в упомянутой книге Юнг пишет: *Психика — это наиболее реальная сущность, потому что она единственное, что дано нам непосредственно. К этой реальности, а именно к реальности психического, может обращаться психология.*[42] Эта психическая реальность предстает в необычайном разнообразии. Разнообразие существует уже потому, что, согласно Юнгу, все возможные содержания относятся к человеческой психике. Отсюда вытекает ограниченность познания; это ограничение совпадает с границами психики, потому что мы не можем выйти за ее пределы. Во всех своих публикациях Юнг большое значение придает указанию на то, что хочет оставаться в строгих рамках своей компетенции: *Я никогда не придерживался мнения, что наше восприятие может охватить все формы бытия... Всё понимание и всё понятое является психическим по своей природе, и в этом отношении мы безнадежно принадлежим только психическому миру.*[43]

В рамках этого разграничения в психике различаются две сферы: прежде всего, та сфера, которая обозначается как «сознание», сфера, в которой человек обладает полным «присутствием духа», сфера, в которой, однако, возможна и неустойчивость сознания. Наряду с этим существует область, являющаяся обычно недоступной для сознания — «бессознательное». Юнг объясняет: *Бессознательное — это не просто неизвестное, но, скорее, с одной стороны, неизвестное психическое, то есть то, о чем мы предполагаем, что оно, если бы оно получило доступ в сознание, ни в чем не отличалось бы от известных психических содержаний. С другой стороны, мы должны отнести к нему также психоидную систему* (имеется в виду сфера, «похожая на душевную»), *о характеристиках которой мы ничего не можем сказать прямо.* К этому определению Юнг добавляет: *Все, что я знаю, однако о чем не думаю в данный момент, все, что я когда-то осознавал, но теперь забыл, все, что было воспринято моими органами чувств, но не зафиксировалось в моем сознании, все, что я чувствую, думаю, вспоминаю, хочу и делаю непреднамеренно и невнимательно, то есть бессознательно, все предстоящее, что подготавливается во мне и лишь позже достигает сознания,— все это является содержанием бессознательного.*[44]

Уже Фрейд, чтобы подчеркнуть динамику, отличающую психику и разыгрывающиеся в ней процессы, выбрал термин «либидо». Юнг перенимает этот термин, однако употребляет его не для обозначения сексуальных отношений, но как название для «психической энергии» в целом. Заимствуя это «энергетическое представление», Юнг отклоняет одностороннее механическое понимание психического процесса, трактуемого всегда каузально.

*Эдип и сфинкс. Аттическая чаша, 5 век до новой эры
Музей этрусков. Citta del Vaticano, Рим*

В трактовке Юнга энергия, напротив, это *не представление
о движущейся в пространстве материи, а понятие, абс-
трагированное от двигательных отношений*[45], как он
пишет в 1928 году. Далее мы узнаем: *Психическая энергия
проявляется в актуальном виде в специфических динами-
ческих душевных феноменах, таких как влечение, стремление, желание, аффект, внимание, работа и т. д., как раз
и являющихся психическими силами. Потенциально энергия выражается в специфических возможностях, предрас-
положенностях, установках, являющихся условиями.*[46]

В опубликованной в 1928 году книге *Об энергетике души* эти отношения рассматриваются детально. Так, объясняются важнейшие энергетические феномены («прогрессия» и «регрессия» психики), то есть говорится о том, каким образом «движется» либидо.

О динамике либидо не в последнюю очередь свидетельствует наблюдение Юнга, согласно которому психическая энергия может перемещаться с одного объекта на другой. Это происходит вследствие переноса энергии влечений с одного объекта влечения на ему подобный, что можно видеть на многочисленных интересных примерах прежде всего из области религии и культуры в виде магических или символических действий. Достаточно указать на тесную связь сексуальности и культурного творчества в жизни первобытных племен, в земледельческом труде, в работах в кузнице, на рыбной ловле, в охоте, военных действиях и т. д. Во всех случаях речь идет о том, чтобы накопить психическую энергию в магических подготовительных действиях, танцах и манипуляциях и сконцентрировать ее на предстоящем деле. Здесь, согласно Юнгу, место символического жеста, символического действия, символа. Эти символы служат, среди прочего, для того, чтобы направить либидо на то, что подразумевается под символом. Так, в результате ежегодных магических действий, совершаемых для повышения урожайности растительных культур, оплодотворяется земля, рассматриваемая как материнское лоно.

Очень важным, возможно решающим, вкладом Юнга в науку, связанным с тех пор с его именем, является открытие коллективного бессознательного. Хотя уже Зигмунд Фрейд признавал существование архаико-мифологического мышления, неоспоримая заслуга открытия этой

Прометей

области психики, которая не ограничивается индивидуумом, но, несомненно, имеет «коллективные» черты, принадлежит Юнгу. Как первооткрыватель «коллективного бессознательного» Юнг значительно опередил Фрейда.

Относительно поверхностный слой подсознания, несомненно, является личностным. Мы называем его личным бессознательным. Однако под ним находится более глубинный слой, который не основывается на личном опыте, а является врожденным. Этот более глубокий слой представляет собой так называемое коллективное бессознательное.[47] Юнг выбрал это выражение для указания на всеобщую природу этого психического слоя. Мы имеем здесь дело с неосознаваемой связью психики с богатой сокровищницей образов и символов, через которые индивидуум подключается к общечеловеческому. При этом речь ни в коей мере не идет лишь о гипотезах. Как практикующий врач Юнг отмечал присутствие примитивных архаических символов в сознании своих пациентов. Он заметил, например, что в сновидениях время от времени появлялся архаический образ Бога, который совершенно отличался от представления о Боге в бодрствующем сознании. Догадка о существовании бессознательного, которое простирается за пределы индивидуальной психики, подтверждалась различным образом. Юнг обнаружил в этом отношении поразительный параллелизм между сообщениями здоровых и больных людей, с одной стороны, и мифическими или символическими формами, с другой.

Чтобы обозначить сохраняющееся в психике коллективное бессознательное по его основной характерной форме, Юнг выбрал понятие «архетип». Он дает ему следующее определение: *Архетип в значительной мере представляет собой бессознательное содержание, которое изменяется через осознание и восприятие — и именно в духе того индивидуального сознания, в котором оно проявляется.*[48] И в сноске Юнг уточняет: *Чтобы быть точным, нужно провести границу между «архетипами» и «архетипическими представлениями». Сам по себе архетип — это гипотетический нечувственный образец, подобный известной в биологии «модели поведения».* Следовательно, совершенно в духе Юнга можно было бы выразить это таким образом: остающиеся чисто формальными архетипы вызывают «архетипические представления», которые достигают области человеческого восприятия. Архетипы являются предпосылкой для этого чувственного воплощения. «Архетипы», согласно его определению, это *факторы и мотивы, которые организуют психические элементы в некие* (называемые архетипическими) *образы, и притом так, что они могут распознаваться лишь по производимому ими эффекту. Они существуют до сознания и образуют, по-видимому, структурные доминанты психики...*[49] В то время как архетип, будучи сам по себе непознаваемым, находится в бессознательном, архетипический образ человека познаваем. Из потока индивидуального и коллективного бессознательного выступает «Эго». Как часть психики оно является *центром поля сознания*, и прежде всего — его субъектом. Когда Юнг говорит о «комплексе Эго», он понимает под этим также комплекс представлений, связанных с этим центром сознания.

От Эго отличается «Самость», которая включает в себя всю психику, то есть сознание и подсознательное, объединенные в единое целое. *Как эмпирическое понятие Самость обнимает все психические феномены человека. Она выражает единство и целостность всей личности. Но поскольку последняя вследствие ее бессознательного компонента может быть сознательной лишь частично, понятие самости является, собственно говоря, отчасти потенциально эмпирическим. Другими словами, оно охватывает познаваемое и непознаваемое или еще не познанное.*[50] Юнг показывает нам, что эта Самость имеет архетипический характер и в сновидениях, мифах, сказках может принимать образы вождей, героев или спасителей или выявляться в целостных символах, как круг, квадрат, крест и т. п. *Самость представляет собой не только центр, но и тот объем, который включает в себя сознание и бессоз-*

Солнце как образ Божий. Из книги R. Fludd, Utrisque Cosmi Maioris scilicet et Minoris Metaphysica, Physica atque Technica et Historia. Oppenheim 1617

нательное; она является центром этой целостности подобно тому, как Я является центром сознания. Тем самым Самость — величина, которая подчиняется сознательному Эго.

Но как происходит становление целостности в Самости? Ответ Юнга отсылает нас к процессу душевного развития, процессу становления Самости — к «индивидуации». *Индивидуация означает становление индивидуальности, и насколько индивидуальность охватывает нашу сокровенную, окончательную и ни с чем не сравнимую неповторимость, настолько она подразумевает становление Самости. Поэтому «индивидуацию» можно назвать «самостановлением» или «самоосуществлением».*[51] Цель этого процесса психического развития, который, как показал опыт Юнга, лишь сравнительно немногие люди совершают сознательно, состоит в том, чтобы освободить Самость из *ложных оболочек персоны*, то есть от коллективной психики, маскирующейся под индивидуальную, и, с другой стороны, от *внушения со стороны неосознанных образов*. Юнг говорит также об *интеграции способных к осознанию содержаний* психики, вследствие чего самосознание не идентифицируется с Самостью, если даже это имеет некоторые последствия для самосознания, *в такой же мере странные, как и с трудом поддающиеся описанию*.[52] Юнг объясняет этот важный процесс еще и таким образом: *Индивидуация представляет собой в общих чертах процесс образования и обособления индивидуальностей, именно развитие психологического индивидуума как отдельного существа, выбивающегося из стандартов всеобщей, коллективной психологии. Поэтому индивидуация — это процесс дифференциации, целью которого является развитие индивидуальной личности. Необходимость в индивидуации тем очевиднее, чем в большей мере препятствие индивидуации посредством преобладающего или даже исключительного нормирования коллективных критериев означает уменьшение индивидуальной жизнедеятельности.*[53]

Аналитик юнгианской школы узнаёт на практике, что процесс индивидуации, в который человек при известных условиях вовлекается во второй половине жизни, может восприниматься как очень тяжелый и опасный путь. Тот, кого он касается, оказывается лицом к лицу с тем, что выступает из подсознания в виде образов, представлений, сновидений и идей. Архетипическое как будто изливается из душевных глубин, обычно остающихся бессознательными. Эзотерика с давних пор знакома с пороговыми переживаниями этого рода. Человеку не следует идти на это опасное предприятие без подготовки или без руководства. Обычно пытаются подготовиться к «встрече с самим собой» при помощи обучения, в Азии это происходит под руководством гуру (духовного учителя). *Хотя вначале все переживается в образах, то есть символически, речь идет ни в коем случае не о выдуманных опасностях, а о настоящем риске, от которого при определенных обстоятельствах может зависеть судьба. Главная опасность состоит в зависимости от завораживающего влияния архетипов, что происходит тем чаще, чем меньше осознаются архетипические образы. Если существуют психотические предрасположения, то при определенных условиях может случиться так, что архетипические фигуры, которым в силу их естественной нуминозности вообще присуща некоторая автономия, освободятся от контроля сознания и приобретут полную самостоятельность, т. е. вызовут феномены одержимости.*[54]

Как же ориентироваться человеку, находящемуся в процессе индивидуации? Помимо того что здесь требуется психотерапевт, следует указать на своеобразие метода глубинной психологии по Юнгу. Речь идет о применении «амплификации». Это расширение и углубление переживания, как, например, сновидения, через похожие или аналогичные образные мотивы из области истории религии, культуры и духа фактически всех этапов развития человечества. Иоланда Якоби объясняет: «В методе амплификации Юнга отдельные мотивы сновидений обогащаются аналогичным родственным материалом образов, символов, сказаний, мифов и т. д. и раскрываются вследствие этого во всех нюансах своих чувственных возможностей и различных аспектов до тех пор, пока их значение не выявляется в полной мере. Каждый отдельный установленный таким образом

Антропос как «мировая душа», содержащая четыре элемента. Из книги «Philosophia Naturalis» Альберта Магнуса (Базель 1560)

чувственный элемент снова соединяется затем со следующим, и в итоге выявляется вся цепочка мотивов сновидений, в конце концов сама в своем единстве проходящая последнюю проверку».[55] Задачей врача теперь является знакомство пациента или клиента с содержанием этих образов и консультации на разных этапах лечения.

Мастерское владение этим методом амплификации стало возможным лишь благодаря основательному изучению мифологии старых культур, а также духовной культуры Востока и Запада. Юнг не только приобрел обширные познания в области духовной культуры Азии, как об этом свидетельствуют его предисловия и комментарии к основополагающим произведениям, например, китайской эзотерической традиции. Прежде всего он основательно ознакомился с произведениями гностиков первых веков христианства, средневековых мистиков, а также алхимиков позднего средневековья и розенкрейцеров, некоторые труднодоступные труды которых он собрал и исследовал. Иначе не могли бы быть написаны такие важные работы Юнга, как *Символы превращения, Психология алхимии, Айон, Символика духа, Мистические связи* с их обильными иллюстрациями. Они, впрочем, представляют собой богатую сокровищницу не только для тех, кто интересуется психологическими и терапевтическими аспектами творчества автора. Именно через тексты и рисунки алхимиков можно получить ключи к объяснению и выявить параллели психических процессов, характерных для пути индивидуации.

Свои научные психиатрически-психотерапевтические и литературные исследования Юнгу удалось углубить благодаря путешествиям в Северную Африку, Кению и Уганду, к американским индейцам пуэбло и в Индию. В этой связи очень важно указание на то, что хотя Юнг и окунулся в сферы этих чужих культур, чтобы почерпнуть знания непосредственно, из собственных впечатлений, однако он никогда не пытался отрицать свою кровную связь с европейско-христианским западным духом. И хотя однажды он сказал о своих путешествиях в Африку: *У меня было чувство, как будто я только что вернулся в страну моей юности и как будто я знал того неизвестного человека, который ждал меня в течение пяти тысяч лет*[56], — все же в своем отчете о путешествии в Индию он пишет, что, наслаждаясь впечатлениями от чужой духовной культуры, он ощущал потребность сохранить *первоначальное европейское культурное наследие*. Для него было бы равнозначно воровству попытаться, подобно различным «путешественникам в Индию», пойти в обучение к посвященным Востока. То, что Юнг в этой связи написал в *Воспоминаниях* об отношении между Буддой и Христом, дает богатую пищу для размышлений.

Очень важным элементом в учении Юнга, существенным и для других психоаналитических систем, является обнаружение противоречий и стремление психотерапевтов к их интеграции в рамках более высокого единства. У Юнга мы встречаемся с этой проблемой во всем ее многообразии. В ней находит выражение мышление с полярных, противоречивых позиций, мышление, наблюдающее за развитием напряжения между полюсами до этического вывода (например, в конфликтной ситуации). К противоречиям этого рода относятся, например, сознательное и бессознательное, интроверсия и экстраверсия как выражение двух основных видов отношения психики к окружающему миру (об анимусе у женщины и об аниме у мужчины речь пойдет ниже). В трактате *Опыт психологического толкования догмы о Троице* (1948), вышедшем из лекции, прочитанной на заседании общества «Эранос», Юнг констатирует: *Жизнь как энергетический процесс требует противоречий, без которых, как известно, энергия невозможна.* Это проливает свет на представление Юнга о психической энергии. Посылка, лежащая в основе этого понимания, влечет за собой заключения, касающиеся высших, или глубочайших, объектов веры и религиозного познания. Юнг продолжает: *Напряжение противоположностей, производящее энергию,— это мировой закон, получивший надлежащее выражение в противопоставлении ян и инь китайской философии.*[57] Даже понятие Бога, который для Юнга является *преимущественно духовным принципом,* вписывается в эту концепцию. На основе энергетических представлений Юнг интерпретирует «Бога» не только как воплощение духовного света, *появляющегося как поздний цветок на дереве развития,* не только как цель духовного спасения, *венчающую все мироздание*, и не только как воплощение целеустремленности и совершенства всего сущего. «Бог» является для него одновременно *самой темной, низшей причиной всей природной тьмы*, что знаменует *ужасающий парадокс, который, очевидно, соответствует глубокой психологической истине.*[58]

То, что Юнг высказал в 1928 году в работе *Об энергетике души*, получило дальнейшее развитие в последующих трудах, где он, как в своем *Психологическом толковании догмы о Троице*, высказывает мысли о снятии христианской формулы Троицы в пользу божественной «четверичности» (Quaternität), в которой дьявол как автономная и вечная божественная личность, являясь одновременно вечным антагонистом Христа, дополняет божественную Троицу. *Как антагонист Христа он* (т. е. дьявол) *должен был бы занимать эквивалентную позицию и также быть «сыном Бога». Это согласуется с известными взглядами гностиков, согласно которым дьявол как Сатана являлся первым сыном Бога, а Христос — вторым.*[59] Ученица Юнга Ривка Шэрф посвятила интересную работу образу Сатаны в Ветхом Завете.[60]

Следовательно, Юнг на высшем уровне, а именно в сфере божественного, сталкивается с проблемой противоречий. Его высказывания касаются центральных тем богословия и христианской теологии, правда, ни в коем случае не ортодоксального церковного учения, которое отрицает подобные рассуждения как еретические. Благодаря своей эрудиции в области истории религии Юнг слишком хорошо знал, что, рассуждая о подобных противоречиях, он находится в рамках гностико-еретических воззрений. Само собой разумеется, что обозначение «еретический» не имеет при этом оценочного значения.

Сатана и архангел Михаил взвешивают души. Картина мастера из Соригеролы. Музей Episcopal, Vich (Испания)

С другой стороны, следует иметь в виду, что для Юнга речь здесь идет не о метафизических высказываниях. Он остается психологом, даже когда устремляет свой взор на объекты, входящие в компетенцию теологов или религиозных философов. Что побуждает Юнга также заниматься этими предметами, так это интерес к области психического, которая по понятным причинам оставалась без внимания со стороны представителей соответствующих дисциплин. Следовательно, психолог не совершает подмены одного объекта исследования другим и не покидает сферы своей компетентности; он остается психологом и тогда, когда рассматривает реальности божественно-духовного или религиозного мира в их значении для человеческой психики. В конце концов, Юнг может выдвинуть аргумент, что и религиозные представления, даже догмы христианской церкви, к которым он проявляет большое уважение, обязаны своим возникновением активной деятельности психики. В *Психологии и религии* (1940), издании лекций, прочитанных в 1937 году в Йельском университете, мы читаем: *По моему мнению, каждая научная теория сама по себе — все равно, какой бы хитроумной она ни была,— с точки зрения психологической правды имеет меньшую ценность, чем религиозная догма, и именно по простой причине: потому что теория по необходимости является абстрактной и исключительно рациональной, в то время как догма посредством своих образов выражает иррациональную целостность.*[61] То, что Юнг сказал здесь и по другим поводам о формулировке религиозного откровения, еще не нашло достаточного отклика в теологии. Было бы опасной ошибкой — и Юнг предостерегает от этого теологов,— если бы «образ Бога» в человеческом представлении смешивали с божественной реальностью, если

бы этот образ Бога, который психолог видит сияющим в психике, воспринимали как доказательство за или против этой реальности.

В то время как тема религии и психологии уводит к вершинам и глубинам юнгианской психологии, уже упомянутая пара понятий «анимус» и «анима» относится к элементам учения. Юнг говорит о *врожденной психической структуре*, которая обусловливает потребность во взаимном дополнении между мужчиной и женщиной как в физическом, так и в духовном отношении. Подобно *виртуальной картине* окружающего мира, которая является как бы врожденной у человека, мужчина носит в своем подсознании образ женщины, называемый «анима», и отношение женщины к мужчине также определяет бессознательный образ — «анимус». Анимус и анима обозначают, таким образом, взаимодополняющие сексуальные формы проявления психических явлений. Можно было бы сказать, что анима компенсирует мужское сознание, а анимус — женское. Юнг столкнулся с этим явлением при исследовании процессов трансформации бессознательной души, и при этом вновь на основании собственного душевного опыта. Анима в соответствии с этим является прямо-таки персонификацией бессознательного у мужчины, *насыщенной историей и предысторией. Она включает в себя содержания прошлого и замещает в мужчине то, что он должен знать о своей предыстории. Вся уже бывшая жизнь, еще живущая в нем,— это анима.*[62]

В отношении к аниме стоит «персона», то есть «маска», которую надевает человек, чтобы играть свою общественную роль, связанную, например, с определенным ведомством или сословием. За персоной скрывается тот, кто, предположим, известен в общественной жизни благодаря должности и «официальному виду». Отношение между персоной и анимой имеет характер компенсации, то есть происходит балансирование между маской, внешним выражением персоны, и анимой в бессознательном. *Персона — сложная система отношений между индивидуальным сознанием и обществом, своего рода маска, предназначенная, с одной стороны, чтобы производить определенное впечатление на других, а с другой стороны, чтобы скрывать истинную природу индивидуума... В таком случае за маской возникает то, что называют «частной жизнью». Это достаточно известное разделение сознания на две часто до смешного различные области — радикальная психологическая операция, которая не может оставаться без последствий для бессознательного.*[63]

*Коронованный гермафродит. Из рукописи
с раскрашенными иллюстрациями «Tractatus qui
dicitur Thomae Aquinatis de Alchimia». Около 1520
Лейден. Университетская библиотека*

Одной из задач процесса психического созревания
является понимание реальности этих явлений и — по возможности — их доведение до сознания. Юнг неоднократно указывал на сложности, связанные с осознанием сущности анимы и анимуса и — не в последнюю очередь — с
овладением маной (т. е. волшебной силой) анимы. В конце главы *Анима и анимус* своей книги *Отношения между*

Самостью и бессознательным (1928) Юнг называет совершенно естественным то обстоятельство, что *не каждый читатель сразу поймет, что имеется в виду под анимой и анимусом.* Намеренно избегая применять абстрактно-понятийный язык для объяснения положения вещей, вначале он явно довольствовался акцентуацией внимания на том, что речь здесь идет не о метафизике, а исключительно об эмпирических фактах. *Скорее необходимо дать ему* (читателю) *представление о действительных возможностях опыта. Никто не может по-настоящему понять эти вещи, если он не пережил их сам.*[64]

Итак, в опыте лежит ключ к психологии К. Г. Юнга. Обычная интеллектуальная игра с понятиями не приводит к фундаментальным фактам. Тот, кто знакомится с элементами учения Юнга, все больше и больше убеждается, что вначале чуждые, чтобы не сказать труднодоступные, понятия опираются на богатую сокровищницу опыта. Он складывается из элементов личного опыта Юнга, из опыта его пациентов и, наконец, того опыта, который нашел свое выражение в ходе общечеловеческой истории духа и может использоваться для толкования посредством привлечения (амплификации). *Наука тех дней* (т. е. в начале века) *еще не располагала знаниями, которые мне были нужны и которых я искал. Я должен был сам приобретать первоначальный опыт и пытаться перенести познанное на почву действительности; иначе это осталось бы в состоянии нежизнеспособной субъективной предпосылки... Все мои работы, все, что я создал в области духа, вышло из инициальной силы воображения и сновидений*[65], пишет Юнг, оглядываясь на свою жизнь. Этим уже установлены важнейшие критерии, с помощью которых следует оценивать его труд.

Психологические типы

Более чем две тысячи лет назад была предпринята попытка составить представление о человеке в его характерных телесных, душевных и духовных проявлениях посредством редукции к общему знаменателю типичных особенностей. Ранние греческие мыслители и врачи создали труды и концепции, возможные в рамках их картины мира и человека. Из них наибольшей известностью пользуется деление на «четыре темперамента» в соответствии с сочетанием четырех элементов Эмпедокла, с учением о телесных соках у Гиппократа или о свойствах крови у Аристотеля.

Наряду с этими старыми представлениями существует большое количество учений о типах, созданных современной психологией. В 1921 году, следовательно одновременно с учением Роршаха о типах и главной работой Кречмара «Строение тела и характер», Карл Густав Юнг опубликовал свои *Психологические типы*. Появление этого произведения, однако, не было внезапным. Достаточно указать, к примеру, на его доклад *К вопросу о психологических типах*, который он прочитал на Психоаналитическом конгрессе 1913 года в Мюнхене. Он вновь напечатан в приложении к шестому тому *Собрания сочинений* и дает возможность ознакомиться со становлением этого учения.

При этом речь в значительной мере идет о плодах его врачебного опыта. Критика, сопровождающая каждое издание его книги, дает Юнгу повод в предисловии к седьмому изданию указать на то, что *моя типология является результатом многолетнего практического опыта — опыта, который остается совершенно закрытым для академического психолога... То, о чем я говорю в этой книге, было — слово за словом — стократно проверено практическим лечением больных и изначально вышло из него... Поэтому нельзя винить непрофессионала, если некоторые из моих утверждений покажутся ему странными или если он подумает, что моя типология является продуктом идиллических часов, проведенных в уединении в кабинете.*[66] Характерным для учения Юнга является угол зрения, под которым он рассматривает тип, то есть *пример или образец, передающий типичным образом характер типа или общности.* При этом Юнг ищет ответ на вопрос о связи соответствующей личности с окружающим миром, он спрашивает, следовательно, ориентирован ли человек на окружающий мир и среду или он замыкается в себе самом, обращен ли он вовне или внутрь, является ли он «экстравертным» или «интровертным».

На первый взгляд такой подход кажется слишком простым, даже если нельзя отрицать, что уже при такой постановке вопроса намечаются общие контуры концепции. Тщательное же изучение показывает, что юнгианская типология позволяет не только достигнуть богатой дифференциации типического, но и увидеть в индивидуальности то неповторимое, что выходит за его рамки.

Юнг наблюдал за двумя психическими «механизмами», которые различаются по своей целенаправленности. *Направленная вовне психическая энергия обусловливает «экстраверсию», то есть движение интереса по направлению к объекту. Движение интереса от объекта к субъекту и к его собственным психологическим процессам* характеризуется Юнгом как «интроверсия». Мышление, чувства и желания в каждом случае подчиняются одной из этих основных установок. Сам Юнг усматривает параллель этому в гётевском представлении о диастоле (расширении) и систоле (сжатии). Согласно этому экстраверсии соответствует *диастолическое стремление* к объекту и овладение им, в то время как инт-

роверсия представляет собой *систолическое концентриро-
вание и удаление энергии от охваченных объектов.*

Для узких рамок нашей работы будет достаточным, если
мы приведем определения обеих основных установок, дан-
ные создателем этого учения. Он сделал это в сжатой форме в работе *О психологии бессознательного* (1-е издание
в 1916 г.; 5-е издание в 1942 г.). Установка интроверта *в
нормальном случае характеризуется нерешительным,
рефлексивным, замкнутым, трудно распознаваемым характером, он опасается объектов, всегда находится в
состоянии обороны и охотно прячется за недоверчивым
наблюдением.* Поведение экстраверта *в нормальном случае характеризуется доброжелательным, по-видимому,
открытым и услужливым характером, он легко ориентируется в каждой ситуации, быстро завязывает связи и
часто беспечно и доверчиво отваживается на незнакомые
ситуации, пренебрегая возможными сомнениями.*[67] Из этого следует, что в первом случае субъект, а во втором объект
играют решающую роль. Обширное, многократно издавав-
шееся произведение *Психологические типы* развивает оба
тезиса, вводя их в духовно-исторический контекст, то есть
рассматривая отношение к этой проблеме в античности, в
средневековье и на различных этапах нового времени, особое внимание уделяя поэзии (Карл Шпиттелер, Гёте).

Юнг, который прямо-таки самой судьбой был предназ-
начен для занятий этой проблематикой, не в последнюю
очередь благодаря собственной ярко выраженной установке[68], подчеркивает, что определения «экстравертный» или
«интровертный» не имеют оценочного характера. В конце
концов, сама личность решает, будут ли в ней преобладать
позитивные или негативные моменты, реализуемые из
имеющихся предрасположенностей.

Семья Юнгов. Chateau d'Oeuх, 1917

Чтобы быть точным, необходимо четко видеть разницу между тем, что Юнг называет «типом», и тем, что называется «установка». Лишь в том случае, если экстра- или интроверсия становится существенным признаком характера и представляет, таким образом, его доминанту, можно говорить в полном смысле слова о «типе». В отличие от него «установка» представляет собой переменную. Она может изменяться в течение жизни человека вместе с основополагающими переменами его образа мыслей. Акцент может перемещаться со стороны экстраверсии к интроверсии и наоборот. Типичное является выражением соответствующей основной душевной структуры.

Здесь Юнг натолкнулся на дальнейшие различительные признаки, тем более что он видел, что люди, у которых основ-

*Жилая башня в Боллингене у верхнего Цюрихского озера,
которую Юнг сам построил в 1923 году и в последующие годы
расширил с помощью пристроек*

ная душевная структура тождественна, могут тем не менее
быть совершенно разными. Возможности дифференциации
появляются при учете четырех выявленных им «типов функций». Это две рациональные функции — мышление и чувство — и две иррациональные — ощущение и интуиция. *Я не
могу a priori назвать причин того, почему я говорю именно
о четырех основных типах функций, но могу лишь подчеркнуть, что это понимание выработалось у меня в течение
многолетнего опыта. Я отличаю эти функции друг от дру-*

га, потому что они не связаны друг с другом и не могут быть сведены друг к другу. *Принцип мышления, например, совершенно отличается от принципа чувства. Я принципиально отличаю эту функцию от фантазирования, потому что фантазирование представляется мне своеобразной формой деятельности, которая может проявиться во всех четырех основных функциях. Воля представляется мне как исключительно вторичное психическое явление, так же как и внимание.*[69] При рассмотрении с энергетической точки зрения функция является формой проявления либидо, которая остается принципиально одной и той же. В то время как эти четыре функции имеются у всех людей, каждый данный человек отличается преобладанием одной из функций, а также сочетанием остальных основных функций. Юнг говорит, таким образом, о мыслительном, чувствующем, ощущающем и интуитивном типах. *Все основные типы могут принадлежать как одному, так и другому классу, то есть опреде-*

Рельефы на башне в Боллингене

«Камень» в Боллингене с высеченными К. Г. Юнгом фигурами и надписями

ляться интроверсией или экстраверсией,— смотря по преобладающей интровертной или экстравертной установке. Мыслительный тип может относиться к интровертному или экстравертному классу, так же как и любой другой тип. Различие между рациональным и иррациональным типами относится к другой классификационной системе и не имеет ничего общего с интроверсией и экстраверсией.[70]

Не говоря о том, что в каждом случае практика должна выявлять, каким образом можно использовать учение Юнга о типах, следует сказать еще лишь о том, чтó Юнг понимает под рациональным или иррациональным: *Рациональное —*

это разумное, соответствующее разуму. Я понимаю разум как такое отношение, принципом которого является организация мышления, чувств и действий в соответствии с объективными ценностями. Объективные ценности устанавливаются благодаря типичному опыту, с одной стороны, внешних и, с другой,— внутренних психологических фактов... Мышление и чувство — рациональные функции, так как на них решающее влияние оказывает размышление. Они выполняют свое предназначение в наибольшей мере при по возможности совершенной согласованности

Вход во внутренний двор усадьбы в Боллингене

с законами разума. Иррациональные функции, напротив,— это такие функции, которые имеют целью чистое восприятие, как интуиция и ощущение, так как они должны, насколько это возможно, обходиться без рационального, которое предполагает исключение всего выходящего за пределы разумного, чтобы прийти к наиболее совершенному восприятию всего существующего.[71] В то время как «ощущение» предполагает большей частью чувственное ощущение, обусловленное физическим раздражением, интуиция в понимании К. Г. Юнга представляет собой своего рода восприятие с помощью предчувствия, восприятие, в котором участвует прежде всего бессознательное. В связи со своими описаниями отдельных типов, как они представлены в работе *Психологические типы,* Юнг очень сдержанно высказывается относительно иррациональных типов. *Оба только что описанных типа почти не допускают оценки по своим внешним проявлениям. Так как они интровертны и вследствие этого обладают лишь ограниченной способностью или готовностью к выражению, то они дают не много возможностей для правильной оценки.*[72]

Каковы же тогда плоды усилий психологов, если действительно существенное в психике этих людей скрывается за внешними формами безучастности, нерешительности и необщительности? Очевидно, все дело в позиции психолога. *С экстравертной и рациональной точки зрения эти типы оказываются, вероятно, самыми бесполезными из всех людей. Но если посмотреть с высшей точки зрения, то такие люди являются живыми свидетелями того, что богатый и полный движения мир и его бьющая через край упоительная жизнь существуют не только вовне, но и внутри. Конечно, такие типы являются лишь односторонней демонстрацией природы, но они поучительны для того, кто не дает ослеплять себя очередной духовной модой. Люди такой ориентации являются в своем роде двигателями культуры и воспитателями. Их жизнь учит большему, чем их слова...*[73]

Без сомнения, на такую защитную речь способен лишь тот, кто обладает подобным опытом, а значит — родственной основной душевной структурой. Напротив, в оценке психологии Юнга определяющими являются типологические факторы.

Хайнц Ремплейн, который в своей «Психологии личности» подробно анализирует типы установок и функций К. Г. Юнга, обращает внимание, хотя и с некоторыми оговорками, на характерные свойства, присущие всему труду психолога. При этом он справедливо отмечает, что учение о типах Юнга может быть понято и оценено лишь в связи со всей его деятельностью. Ремплейн все же признает: «Несмотря на эти сомнения, нужно с восхищением признать, что типология Юнга благодаря привлечению бессознательного и его постоянному напряженному взаимодействию с сознанием является динамичной, как никакая другая... В этом отношении нет сомнения, что учение Юнга о типах давно выдержало испытание в руках тех, кто полностью им владеет, как на службе психотерапии, так и в диагностике».

Однако Юнг ни в коем случае не довольствовался освещением проблемы типов. Здесь по меньшей мере уместным является указание, согласно которому Юнг стремился уважать неповторимость, незаменимость и, в конечном итоге, даже беспримерность человеческой индивидуальности. По крайней мере он не собирается психологическим типизированием подвергать человеческую личность нормированию или каталогизированию. В этом отношении типология была для него лишь средством для цели, вспомогательной конструкцией, которая не должна, однако, ограничивать перспективу личности. Так, Юнг сам понимает недостаточность того, что когда-то, в 1912—1913 годах, вышло из его раздумий над отношением к Фрейду и Адлеру, что впервые нашло свое выражение в связи с упомянутым Мюнхенским конгрессом и затем было представлено в обширном труде *Психологические типы* (1921). Ввиду результатов многолетних исследований Юнг приходит к выводу, *что каждое суждение человека ограничивается его типом и каждый взгляд на вещи является относительным. В связи с этим возник вопрос о единстве, которое компенсирует это многообразие.*[74]

И здесь жизнь Юнга предоставляет ему совершенно новые возможности. Они открываются для него благодаря изучению духовной жизни Азии, прежде всего мышления древних китайцев. Встреча с крупным синологом Рихардом Вильгельмом и знакомство с его трудами — от «Тайны золотого цветка» до «И Цзин» — придали работе Юнга новые импульсы. Результаты исследований Вильгельма и Юнга взаимно дополняли друг друга. Такова мысль о «некаузальном параллелизме». Юнг говорит также о «синхронизации» и понимает под этим принцип толкования наряду с принципом каузальности, чтобы уметь объяснять смысл параллельно протекающих психических и физических событий. Кроме того, изучение восточной духовной жизни пробудило у Юнга потребность ближе познакомиться с алхимией, давно забытым и непонятым видом исследования, и сделать ее пригодной для изучения психики. Об этом еще пойдет речь ниже.

Так как изучение Юнгом типов установки стимулировалось разными теоретическими концепциями Фрейда и Адлера, представляет интерес мнение Юнга об их позициях. Это одновременно проливает свет и на то, как пытался Юнг понять убеждения других, которые сам не мог разделять.

Рихард Вильгельм

В работе *О психологии бессознательного*, пятое издание которой вышло в 1942 году и которая является продолжением статьи, напечатанной в 1912 году под заголовком *Новые пути психологии*, Юнг раздумывает о несовместимости теорий Фрейда и Адлера и признается: *Теория Фрейда так подкупающе проста, что становится почти больно, если кто-то вбивает клин своим противоположным высказыванием. Но то же самое относится и к теории Адлера. Она так же отличается очевидной простотой и многое объясняет, как и теория Фрейда. Неудивительно поэтому, что сторонники обеих школ упорно держатся за свою односторонне правильную теорию.*[75] Судя по всему, Юнг очень хорошо понимает аргументы обоих и готов признать обе теории верными. Трудность состоит, следовательно, в том, что альтернативное решение заранее исключено. Ответом Юнга является то развиваемое им шаг за шагом учение о типах, которое позволяет объяснить противоположность психической установки Фрейда и Адлера. *Это различие является не чем иным, как разницей темпераментов, противоречием между двумя типами человеческого духа, при котором один выводит детерминирующее воздействие преимущественно из субъекта, а другой, напротив, из объекта...*[76]

Большая врачебная практика позволила Юнгу увидеть в споре между Фрейдом и Адлером пример столкновения двух из множества возможных типов установок. Этот пример — на ряд других Юнг указывает сам — показывает также, что его учение о типах оказывается полезным прежде всего для понимания образов духовной жизни. Таким образом, вступает в силу важнейший пункт закона, согласно которому личность формируется из настоящего или прошлого, хотя мистерия личности (индивидуальности) и судьбы остается все же скрытой. Следовательно, и сейчас сохраняет свою актуальность то, что Юнг написал о психологических типах еще в 1925 году в «Zeitschrift für Menschenkunde»: *Классификация не объясняет индивидуальную душу. И все же понимание психологических типов открывает путь для лучшего понимания человеческой психологии вообще.*[77]

Юнг придерживался этого определения, свидетельствующего о его скромности. Он постоянно подчеркивал, что по отношению к пациенту он чувствует себя прежде всего как психотерапевт и ни в коем случае не как авторитет, который мог бы претендовать на какое-либо знание индивидуальности другого или даже посягнуть на свободное пространство ближнего. Спустя 10 лет, в шестидесятилетнем возрасте, он пишет: *Я ни в коей мере не в состоянии оценить находящуюся напротив меня личность во всей ее совокупности. Мое суждение о ней может что-то значить, лишь поскольку она является человеком вообще или в той мере, в какой она является человеком вообще. Однако так как все живущее всегда очерчено индивидуальными границами, а я могу сказать об индивидуальном другого только то, что нахожу в своем собственном индивидуальном, то я рискую либо совершить насилие над другим, либо оказаться под его воздействием. Поэтому волей-неволей, поскольку я вообще хочу лечить ин-*

*дивидуального человека психически, я должен отказаться
от желания казаться более знающим, от всякого автори-
тета и попыток повлиять на другого. Я должен по необходимости выбрать диалектический метод, который состоит в сопоставлении взаимодополнительных данных.*[78]

Психология и религия

Исследования в области современной психологии показали,
что к сфере религиозного она должна относиться с особым
вниманием. Даже Зигмунд Фрейд, называвший себя «совершенно безбожным евреем» и в старости все еще говоривший
о своем «абсолютно отрицательном отношении к религии в
любой ее форме и любых дозах», все же соглашался с тем, что
религию не следует отметать как «иллюзию». Его образ мыслей и судьба позволяли ему поэтому высказывания о религии, проникнутые по меньшей мере скептицизмом.

У Юнга как у психолога взгляд на религию (не распро-
страняющийся автоматически на теологию) с самого начала
был положительным, хотя и он в этом отношении пережил
несколько периодов в своем развитии. В то время как он
определенно не испытывал симпатии к провозглашаемому
Церковью *Господу Иисусу (например, история с «Господом
Иисусом» всегда казалась мне подозрительной, и я никогда
по-настоящему в нее не верил*[79]), у мальчика был непосредственный религиозный опыт. В автобиографических
записках он вспоминает о гимназических годах: *Тогда мне
вдруг стало ясно, что Бог, по крайней мере для меня, представляет собой один из наиболее надежных непосредственных опытов.* Рядом находим примечание: *Это было
для меня тем легче, чем дальше я был от Церкви.*[80]

При правильном толковании этих слов — контекст, впрочем, позволяет это сделать — открытость Юнга религиозному опыту не может или едва ли может объясняться тем, что его отец был священником. Скорее возникает впечатление, что религиозная восприимчивость подростка усиливалась как раз в противовес к почти нерелигиозному типу теолога, который воплощал его отец. Хотя Юнг и не стал ни традиционным мистиком, ни религиозным лидером, задатки для этого у него были. Очень рано, наряду с Евангелием от Иоанна, оценив «Фауста» Гёте, он знал, что в конечном итоге не «пергамент» является «святым колодцем», утоляющим духовную жажду, но что Слово Божие звучит в недрах собственной души.

Тот, кто захочет разобраться в отношении Юнга и его творчества к религии, не должен ограничиваться лишь теми книгами, само название которых уже указывает на эту тему. Таких книг сравнительно немного. Знакомства с изданием лекций *Психология и религия* и поздней работой *Ответ Иову* далеко не достаточно, чтобы составить себе определенное представление об этом. И все же в этих работах встречаются важные высказывания, например о том, что он понимает под религией и почему он так интенсивно занимается ею как психолог: *Религия представляет собой, как означает латинское слово religere, прилежное и добросовестное изучение того, что Рудольф Отто («Священное», 1917) метко назвал «нуминозностью», а именно динамическое бытие или действие, которое не вызывается произвольным актом. Напротив, воздействие овладевает и господствует над человеческим существом, которое все более является скорее его жертвой, чем творцом. Нуминозность — что бы ни было ее причиной — это обстоятельства субъекта, независимые от его воли.*[81] Юнг признает, что религия, *бесспорно,— одно из самых ранних и всеобщих проявлений человеческой души.* Отсюда само собой разумеется, *что любой тип психологии, связанный с изучением структуры человеческой психики, не может не обратить внимание хотя бы на тот факт, что религия представляет собой не только социологический или исторический феномен, но означает для многих людей важную личную проблему.*[82]

Тот, кто без подготовки возьмет в руки *Ответ Иову*, что едва ли следует рекомендовать, должен будет сказать себе, что автор книги, свидетельствующей о таком близком знакомстве с теологической и религиозно-исторической проблематикой, не мог случайно ею заняться. Здесь, без сомнения, затронута тема, которая будет звучать и в других местах его сочинений. И именно это поразительным образом подтверждается по отношению к Юнгу. Правда, найдется немало читателей, для которых как раз это обстоятельство окажется помехой. В своей интересной монографии «Религия и душа в психологии К. Г. Юнга» евангелистский теолог Ганс Шэр справедливо отмечает: «Теолог, который занимается творчеством Юнга, будет постоянно удивляться огромным и обширным познаниям Юнга как в области христианства, так и в нехристианских религиях. В этом отношении его знания не имеют себе равных, и среди теологов и других специалистов найдутся немногие, обладающие подобными познаниями о религиозной жизни во всех ее формах, как у Юнга... Но и те, которые солидарны отнюдь не со всеми взглядами Юнга, должны будут признать за ним достаточную компетентность, чтобы судить об этом».[83] При этом, как уже было сказано, огромные познания и рассуждения о религии не являются для Юнга самоцелью; право на свою деятельность и вдохновение к ней он постоянно черпает из источника непосредственных переживаний. Иосиф Рудин, цюрихский католический священ-

Воскресший Христос как символ «filius philosophorum». Из книги «Rosarium Philosophorum» (Франкфурт 1550)

ник и психотерапевт, говорит в связи с этим о предпосылках, в значительной мере определивших отношение Юнга к миру, жизни и Богу: «Три предпосылки — примат опыта, реальность души, знание целостности — объясняют, что Юнг должен был расстаться с Фрейдом не из-за «непроработанного комплекса Эдипа», но что глубинные силы, вышедшие из самой структуры личности, привели его к собственным представлениям о человеке, мире и Боге».[84]

Согласно его мироощущению, Юнга можно было бы оценить так, как Вильям Джемс охарактеризовал свою собственную исследовательскую позицию, когда он сказал, что она «благочестива» («Our scientific temper is devout». «Pragmatism» 1911, p. 14 f). Изучает ли Юнг в алхимических фолиантах процесс преобразования души или комментирует восточные духовные учения, анализирует ли политические и общественные отношения (например, события периода Третьего рейха) или рассказывает о том, как когда-то в молодости смотрел на природу, всегда присутствует эта религиозная составляющая. Религиозное представляется ему при этом *особым состоянием человеческого духа, которое в соответствии с первоначальным употреблением понятия «religio» можно было бы сформулировать как внимательное слежение и наблюдение за некими динамическими факторами, воспринимающимися как силы: духи, демоны, боги, законы, идеи или идеалы (называть их можно по-разному),— которые человек на основании собственного опыта считает в своем мире достаточно могучими, опасными или дружественными, чтобы тщательно принимать их во внимание, или достаточно великими, прекрасными и разумными, чтобы благоговейно молиться и любить их.*[85] С этой точки зрения религиозное ни в коей мере не является лишь объектом или потребностью «религиозных натур». Оно не измеряется тем, как человек выполняет какие-либо «религиозные обряды» в рамках определенной религиозной общины или конфессии. В этом смысле позиция Юнга близка взглядам отца Церкви Тертуллиана о природной христианской сущности души («anima naturaliter christiana»), поскольку он считает, что человеческой душе присуща *естественная религиозная функция*.

Само собой разумеется, что психологу не раз приходилось отвергать упреки в том, что его тезис о *реальности души* способствует «психологизму». Его точка зрения, согласно которой существуют психические факторы, соответствующие божественным или религиозным фигурам, рассматривалась как девальвация религии. По мнению его оппонентов, религиозные переживания являются «не только психологическими» и, следовательно, не могут объясняться лишь средствами психологии. Поэтому теология указывает время от времени на то, что психическое — это «лишь» природа, а значит — земное, греховное и тем самым чуждое Богу, если не враждебное ему.

Юнг возражает своим критикам, что они намеренно упустили из виду его доказательства психического возникновения религиозных феноменов, приведенные в *Психологии и религии*. В свою очередь он спрашивает: *Откуда же известно такое о душе, что можно сказать «лишь душевный»? Так говорит и думает европеец, душа которого, очевидно, «ничтожна». Если бы это было не так, то о ней говорили бы с бóльшим почтением. Но так как этого не делают, то можно сделать вывод о том, что она не имеет никакой ценности. Это, однако, не по необходимости, не всегда и не везде, а лишь там, где ничего не вкладывают в душу, а «Бога имеют лишь снаружи».* И он добавляет в скобках: *Иногда не помешало бы привести строчку-другую из Майстера Экхарта!* [86]

Высказываясь по сходному поводу, Юнг предостерегает от обесценивания души *исключительно религиозной проекцией* в культ и догму. Из-за этого религиозная жизнь костенеет во внешних бюрократических формальностях. Новейшая

Иов получает удары от Сатаны. Гравюра на дереве из «Полевого альбома хирурга» Х. фон Герсдофа, 1590

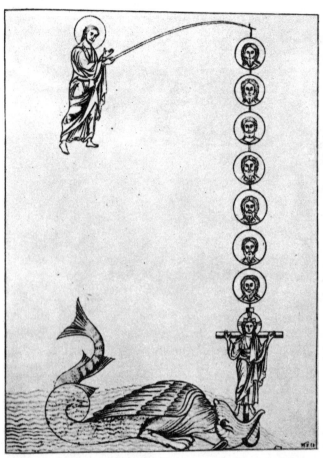

Ловля Левиафана состоящей из семи частей удочкой
с распятием в роли наживки. Из «Hortus deliciarum»
Херрад фон Ландсберг, около 1880

история теологии с ее частично традиционно-конфессиональными, частично современными интеллектуалистскими доктринами — обе укоренились преимущественно в протестантизме — показывает, насколько прав психолог в своих определениях. *Но если душа больше в этом не участвует, то религиозная жизнь застывает... Как бы ни представлять себе отношение между Богом и душой — одно несомненно: что душа не может быть «лишь душой», но обладает достоинством существа, которому дано сознавать свою связь с Божеством. Даже если это всего лишь связь капли воды с морем...*[87] Не следует, впрочем, переоценивать этот основополагающий тезис Юнга. Возможно, это касается в первую очередь высокой оценки мышления по аналогии. Серьезного отношения, несомненно, заслуживает аргумент: *Было бы кощунством утверждать, что Бог может проявляться везде, но только не в человеческой душе.*[88]

В *Психологии и алхимии* Юнг изменяет некоторые высказывания, сделанные им в пылу полемики: *Может быть, мы зашли бы слишком далеко, если бы говорили об отношении родства, однако в любом случае душа должна иметь в себе возможность для связи, т. е. соответствие сущности Бога, иначе связь не могла бы осуществляться.*[89] И он помещает сноску, адресованную своему соотечественнику Карлу Барту: *Поэтому с точки зрения психологии совершенно немыслимо, чтобы Бог был «совершенно другое», так как «совершенно другое» никогда не может быть внутренне близким душе, чем Бог на самом деле является. Психологически верными являются лишь парадоксальные или противоречивые высказывания об Образе Божием.*[90]

В чем же видит психолог возможность связи между Богом и душой, в чем состоит соответствие между ними? Ответ Юнга ясен: это архетип образа Бога в душе. *Архетип религиозных представлений, как и каждый инстинкт, имеет свою специфическую энергию, которую он не теряет, даже если сознание ее игнорирует. Поскольку, как можно предположить с большой долей вероятности, каждый человек обладает всеми средними человеческими функциями и качествами, то у него можно ожидать наличия нормальных религиозных факторов или архетипов, и, как видно, это ожидание не обманывает.* Что же происходит, когда дело доходит до сознательной и преднамеренной задачи отказаться от какого-либо вероисповедания? Юнг отвечает: *Стремящийся сбросить свою оболочку веры может сделать это лишь благодаря тому обстоятельству, что у него под рукой есть другая... Никто не избежит человеческого предубеждения.*[91]

В этой связи Юнг вновь говорит о выражении психической целостности. Это Самость, которая проявляется в множественности, так называемой четверичности. Применение сравнительного метода показало, *что четверичность является более или менее прямым изображением Бога, проявляющегося в своих созданиях. Из этого мы могли бы заключить, что символ, спонтанно появляющийся в сновидениях современных людей, предполагает что-то сходное.* Юнг указывает на отражение *действительно существующей идентичности Бога и человека* [92] и называет его *внутренним Богом.* Чтобы избежать недоразумения, это обозначение архетипа души нужно рассматривать как строго психологическое, но ни в коем случае не как теологическое или даже религиозно-мистическое. Так как *было бы прискорбным заблуждением, если бы кто-то принял мои наблюдения за своего рода доказательство существования Бога. Они доказывают лишь наличие архетипического образа Божества, и это все, что мы, по моему мнению, можем сказать о Боге с психологической точки зрения. Но так как этот архетип имеет большое значение и обладает сильным влиянием, его относительная частота, по-видимому, представляет собой факт, заслуживающий внимания любой*

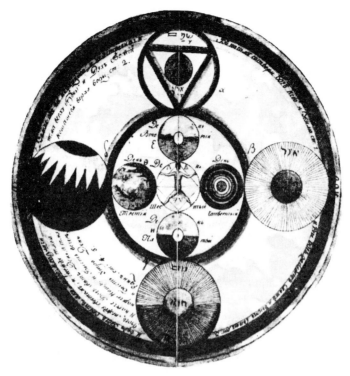

Антропос с четырьмя элементами. Из русской рукописи 18 века
Частное собрание

истинной теологии (*Theologia naturalis*). Так как каждое переживание этого архетипа обладает качеством нуминозности, часто даже в высокой степени, то ему подобает ранг религиозного опыта.[93]

Как ученый-практик Юнг вынужден, правда, признать, что эта аналогия повторялась не во всех и даже не в большинстве известных ему случаев. Тем не менее он может указать на серию из 400 сновидений, в которых момент четверичности обнаружился 71 раз. В *Психологии и алхимии* подробно обсуждается последовательность сновидений. Он добавляет: *Я сам, как и мои коллеги, видел так много случаев, в которых обнаруживается тот же вид символики, что мы больше не можем сомневаться в его существовании.*

Упрек в том, что Юнг преждевременно опубликовал свои наблюдения, не имеет под собой никакой почвы. На самом деле его исследования по этой проблеме восходят ко времени после его разрыва с Фрейдом, примерно к 1914 году. Прежде чем упомянуть об этом в комментарии к *Тайне золотого цветка* (1929), Юнг в течение 14 лет занимался собиранием материала и проверкой результатов. Как можно видеть, вопрос о «внутреннем Боге», архетипе Бога, находится в тесной связи с обработкой алхимического опыта на Западе и Востоке. Так соединяются между собой части учения Юнга, результаты взаимно подкрепляют друг друга.

Ввиду важности фактов, выявленных глубинной психологией, возникает вопрос: Почему современному человеку трудно понять эти вещи? Почему лишь в его сновидениях, то есть продуктах бессознательного, всплывает отражение архетипического образа?

Юнг, который, как известно, интенсивно занимался проблемой противоположности европейской и азиатской духовности, указывает прежде всего на различное отношение к душе на Западе и Востоке. *Западного человека завораживают «десять тысяч вещей», он видит единичные предметы, он зависит от Эго и вещей и не осознает глубинных корней всего сущего. Восточный человек, напротив, переживает мир отдельных вещей и даже свое Эго как сон и реально имеет свое начало в первопричине, которая притягивает его так сильно, что делает его принадлежность миру относительной в непостижимой для нас степени. Западная позиция, ориентированная на объект, склонна ограничиться «образом» Христа в его предметном аспекте и этим лишить его таинственной связи с внутренним человеком. Это предубеждение побуждает, например, протестантского интерпретатора толковать относящееся к Царству Божьему «entos hymin» как «между вами» вместо «в вас».*[94] Посредник, в которого верят или которого видят в образе и символе, остается «вовне», в лучшем случае ему подражают (имитируют), однако преобразования сущности не происходит. *Поэтому может случиться так, что христианин, верующий во всех святых, в глубине своей души остается неразвитым и неизменным, потому что у него есть «весь Бог вовне» и он не знает его в душе. Его главные мотивы и важнейшие интересы и импульсы исходят из бессознательной и неразвитой души, остающейся такой же языческой и архаичной, как в незапамятные времена, а вовсе не из сферы христианства.*[95]

Юнг имеет все основания подвергнуть суровой критике христианство, прежде всего в его протестантской разновидности. В конечном итоге психолог констатирует недостаток истинной религиозности. *Христианская культура оказалась пустой в ужасающей степени; она представляет собой внешнюю оболочку, внутренний человек, однако, остался незатронутым и потому неизменным. Состояние души не соответствует внешнему образу, в который верят.*[96] Юнг рекомендует христианству новую ориентацию, новое начало. Согласно Юнгу, следует понять, что «великая мистерия» (mysterium magnum) представляет ценность не только сама по себе; нужно осознать, что эта мистерия коренится в человеческой душе. Психология может помочь при решении этой проблемы. Здесь Юнг также пытается избежать непозволительного выхода за рамки, предупреждая недоразумение, будто психология совершает подмену, выдвигая

Феникс как символ возрождения. Из книги Boschius «Ars Symbolica» (Аугсбург 1702)

новое, может быть даже еретическое, учение. Так как отношение души к тому внешнему, во что она верит и что проповедуется, проявляется лишь через внутренний опыт, то задачей психологии является обучение видению реальности и, насколько возможно, ее пониманию. Научный характер предохраняет психологию от пристрастной оценки религиозных символов. Так, хотя Юнг и видит в Христе очень важный символ Самости, но он знает также, что, например, в религиях Востока архетип Самости символизируется другими богами или основателями религий.

Как же соотносятся между собой позиции психологии и религии? Ответ Юнга гласит: *Религиозная точка зрения, разумеется, смещает акцент на отражаемый образ (auf den*

*pragenden Stempel), а психология как наука — на одной ей
понятный «тип», отпечаток. Религиозная точка зрения
рассматривает тип как результат воздействия; научная,
напротив, понимает первый как символ незнакомого и не-
понятного ему содержания. Так как тип неопределенней и
многосторонней, чем соответствующая религиозная пред-
посылка, то психология вынуждена через свой эмпирический материал обозначить тип термином, не зависящим
от времени, места или среды.*[97] Этому требованию удовлетворяет обозначение «Самость», которое одновременно выражает высшее единство противоречий.

Юнга спрашивали, почему он вообще говорит об образе Божием и почему он пользуется религиозными категориями для
изображения душевных отношений. (Как известно, это понятие играет большую роль преимущественно у отцов Церкви
первых веков. Они учили в соответствии с иудаистской традицией, которая восходила в свою очередь к первому библей-
скому рассказу о сотворении мира, согласно которому душе
присущ «Образ Бога» (imago dei), то есть она создана по образу Божию.) Ответ Юнга, который он с некоторыми изменени-
ями давал в разных местах своих сочинений, гласит: *Образ
Божий — это не выдумка, а переживание, которое добровольно (sua sponte) овладевает человеком,— то, что можно знать в достаточной мере, если не предпочитать прав-
де ослепления из-за мировоззренческих предрассудков.*[98]

В работе *Отношение между Эго и бессознательным*
рассказывается об одной пациентке — это один пример из
многих,— которую психиатр описывает *как критически
настроенного агностика. Ее идея возможного божественного существа давно развилась до сферы непредставимого,
то есть полной абстракции.* Этому противостоят образы
из сновидений: *Сновидения развивают архаический образ*

Бога, который бесконечно отличается от сознательного понятия Бога. В *Психологии и алхимии* Юнг замечает, что каждый архетип способен к бесконечному развитию и дифференциации, и потому существует возможность, что архетип образа Бога может пребывать на неразвитой архаической ступени, в то время как интеллект может быть высоко развитым.

Выдвигалось также возражение, что трактовка Юнга, относящаяся к субъекту сновидящего (он называет это *трактовкой на уровне субъекта*), будто бы представляет собой философскую проблему и поэтому перестает быть наукой. Юнг на это возражает: *Я не удивляюсь тому, что психология затрагивает философию, так как мышление, лежащее в основе философии, является психической деятельностью, которая как таковая относится к предмету психологии. Я как психолог всегда думаю о душе в целом, и тут присутствуют философия и теология и еще многое другое. Ибо всем философиям и религиям противостоят факты человеческой души, которые, возможно, решают в последней инстанции, что такое истина и что заблуждение.*[99]

Мы не станем здесь выяснять, заслуживают ли ответы Юнга в этом и других местах критики с познавательно-теоретических позиций. Достоверно лишь то, что для него религиозные вопросы были в то же время вопросами психологическими.

Каковы могут быть последствия, вытекающие из представлений Юнга об архетипе образа Бога или — в связи с Христом — богочеловека, становится ясным из примера, который проливает свет на религиозный и духовно-исторический контекст. Юнг однажды исследовал со своей точки зрения причину, которая, наряду с другими, оказала решающее влияние на удивительно быстрое распространение

Христос как антропос, стоящий на земном шаре, окруженный четырьмя элементами. Из книги «Le proprietaire des choses» Barthelemy de Glanville, 1487

христианства в течение первых трех веков. Согласно Юнгу, *Христос не произвел бы впечатления на верующих, если бы не выражал одновременно чего-то, что было и в их бессознательном. Само христианство не распространилось бы в античном мире с поразительной быстротой, если бы его миру представлений не соответствовала аналогичная психическая готовность.*[100]

Прежде чем попытаться в *Ответе Иову* объяснить это сходство между определенными содержаниями бессознательного и фигурой Спасителя, Юнг заговорил об этом в другом месте. (Православный восточно-церковный теолог Герхард П. Захариас обсуждал эту проблему в своей книге «Психика и мистерия».) В *Символике духа* среди прочего имеется дополнение: *Он* (Христос)*... мог... воздействовать лишь благодаря общему согласию (consensus generalis) бессознательного ожидания... Архетип Самости в каждой душе отозвался на «послание», так что конкретный раби Иисус в кратчайшее время был ассимилирован констеллированным архетипом.*[101] Чтобы воздействие послания того, кто должен быть принят, было не только поверхностным, должна наличествовать психическая готовность. Согласно Юнгу, эта готовность состояла в *соединительном элементе* между бессознательным и Спасителем, а именно в *архетипе богочеловека*. Здесь лишь следует заметить, что в произведении *Айон* имеются важные символические и исторические материалы по этому вопросу. Нет смысла в повторном указании, что речь при этом в первую очередь идет о Самости и установлении целостности человека и лишь во вторую очередь — о попытках толкования в области теологии.

Если попытаться суммировать вклад Юнга в отношения психологии и религии, то это можно сделать словами Ганса Шэра: «Тот, кто занимается религией, должен сегодня учитывать труд Юнга и вникнуть в него. Не имеет смысла возвращаться к тому, что было до него, мы можем идти лишь по пути, проложенному им».[102] Этим теолог подтверждает то, что до него уже высказал в соответствующей форме философ культуры Жан Гебзер. Без сомнения, аналитическая психология Юнга представляет собой очень большое приближение к религиозному. И за этим опять-таки скрывается ясно ощутимая потребность в таких современных теологах, которые, как, например, последователи Дитриха Бонхёффера, выступают за «безрелигиозный» способ провозглашения христианского послания.

Алхимия на службе психологии

Тому, кто без подготовки знакомится с трудами К. Г. Юнга, бросается в глаза частое привлечение алхимических символов и обширных текстовых примеров. При этом вспоминается то старое, уже почти забытое духовное направление, лежавшее в основе не только донаучных занятий химией, но в первую очередь в основе духовного пути познания, в рамках которого речь шла как о преобразовании вещества (трансмутации), так и об изменении или облагораживании собственной сущности, о самопознании и познании мира. Вступавший на этот путь — прежде чем из первоначальной алхимии (Юнг пишет «Alchemie») возникло и дискредитировало себя поверхностное, выродившееся «искусство делания золота» — хотел получить «камень мудрости» (Lapis philosophorum) и жизненный эликсир. Один из немногих, кто еще и в наше время шел этим путем, врач и поэт Александр фон Бернус, поэтому разъясняет: «Тайная сторона алхимии — это посвящение, мистическое обучение, традиция которого насчитывает несколько тысячелетий; возникнув в дохристианские времена из душевного состояния египетского, халдейского и эллинского сознания принадлежности к миру и позднее проникнув с Востока через арабский культурный мир на Запад, оно окрашено субстанцией христианства... Конечно, идея трансмутации находится в центре внимания на алхимическом пути посвящения, но это не идея превращения металлов, а внутренний мистический процесс трансмутации, при котором внешнее химическое и физическое превращение металлов оказывается лишь реализованной формой проявления, ставшей видимой на материальном уровне...» (Александр фон Бернус, «Алхимия и терапия», Нюрнберг, 1948, с. 95 и далее).

Коленопреклоненная пара алхимиков у производственной печи просит о Божьем благословении. Из «Mutus liber» (Ла Рошель 1677). Фрагмент

Интерес Юнга относился не к этой ранней стадии в истории химии и металлургии и не к духовным упражнениям, которые имел в виду алхимик, используя химические символы и процессы. И здесь Юнг стремился следовать долгу психотерапевта. Его задача состояла в том, чтобы поставить на службу психотерапии исключительно разнообразный и большей частью очень малодоступный материал из сравнений, символов, рецептов и описаний переживаний алхимиков последних веков античности, средневековья, азиатского Востока и Западной Европы. Как же он к этому пришел?

В начале второй половины жизни началось исследование бессознательного. Моя работа над этим продолжалась длительное время, и лишь через двадцать лет я пришел к тому, чтобы в какой-то мере научиться понимать содержание моих представлений. У Юнга была потребность объяснить предпосылки увиденного и пережитого в сновидениях, так как *аналитическая психология принципиально относится*

Алхимики за работой. Различные стадии процесса
Внизу появляется Сол и приносит золотой цветок
Из «Mutus liber» (Ла Рошель 1677)

к естественным наукам, однако как никакая другая наука зависит от субъективных предпосылок исследователя. Она в большей степени, чем другие науки, нуждается в документально-исторических параллелях, чтобы исключить по крайней мере наиболее грубые ошибки при оценках и суждениях.[103]

Для этой цели Юнг после первой мировой войны и приблизительно до 1926 года серьезно изучал фрагменты из работ раннехристианских гностиков. Он полагал, что гностики встретились с *первобытным миром бессознательного*, и поэтому считал их способными дать соответствующие разъяснения. Фрагментарный характер гностических памятников, которые к тому же можно было найти тогда лишь в полемических работах отцов Церкви — более обширные подлинные труды гностиков были открыты и опубликованы лишь в тридцатых и сороковых годах [104],— привел Юнга к мысли о том, что гностики слишком далеко отстоят во времени, чтобы можно было опираться на их опыт для решения его проблемы. *Традиция, идущая от гностиков к современности, казалась мне прерванной, и долгое время я не видел возможности обнаружить мостик от гностицизма — или неоплатонизма — к настоящему.*[105]

В 1926 году одно сновидение выводит его на верный след. Ему снится, что он оказался в XVII веке, в том времени, когда алхимия, впрочем, уже пережила кульминацию своего развития в Западной Европе. Однако Юнг вспоминает о книге психоаналитика Герберта Зильберера («Проблемы мистики и ее символики», Вена, 1914), в которой автор пытается толковать алхимическую литературу XVII века на основании результатов исследований Зигмунда Фрейда. Когда Юнг приходит к пониманию значения алхимии для освещения своих специальных проблем, он осознает, *что она истори-*

чески связана с гностицизмом, что благодаря алхимии восстанавливается преемственность от прошлого к настоящему. Уходя своими корнями в натурфилософию средневековья, она образовала мостик, соединяющий прошлое, а именно гностицизм, и будущее — современную психологию бессознательного.[106] Следует все же иметь в виду, что Юнг никогда не был заинтересован в реабилитации алхимии как таковой. Это подтверждается также позицией Александра фон Бернуса, который, отдавая должное трудам Юнга как новаторской деятельности, имеющей значение «для всей будущей психологии», одновременно отказывает ему в компетенции, необходимой для оценки алхимической работы.

Критика из уст современного алхимика не может, конечно, задеть психолога, тем более что он в конечном счете хотел лишь исследовать тот факт, что сновидения и галлюцинации пациентов удивительным образом напоминали или воспроизводили герметическую и алхимическую символику. В обширном труде *Психология и алхимия* (1944), который подкупает даже знатоков алхимии своим содержательным приложением из 270 тщательно отобранных иллюстраций, подобные сновидения излагаются, комментируются и сопоставляются с идеями алхимиков при помощи юнгианского метода амплификации.

Однако, прежде чем *Психология и алхимия* была написана и стала достоянием общественности, предстояло пройти большой исследовательский путь. Он включает в себя основательное знакомство с большей частью труднодоступным, мучительно собиравшимся и не менее тяжело интерпретировавшимся текстовым и иллюстративным материалом. Тот, кто сегодня будет осматривать кабинет Юнга, увидит оригиналы редких книг, которые были использованы им в многочисленных сочинениях. Решающую роль для понимания Юнгом алхимии сыграла его встреча с синологом Рихардом Вильгельмом. В 1928 году он получает его перевод «Золотого цветка», трактата по древнекитайской алхимии. *Лишь благодаря тексту «Золотого цветка» … мне стала ближе сущность алхимии. Тогда у меня возникло желание познакомиться с трудами алхимиков.*[107] Юнг составляет *Европейский комментарий* и издает его совместно с Вильгельмом в 1929 году.

Конспекты по алхимии в одной из тетрадей К. Г. Юнга

Целью моих комментариев является попытка построить мост для внутреннего, душевного понимания между Востоком и Западом [108], говорится в послесловии. (Об осознаваемой Юнгом необходимости знакомства с духовными учениями Востока еще пойдет речь.) Конфронтация психологии с религиозной проблематикой, играющей в творчестве Юнга исключительно важную роль, и знакомство с Парацельсом, которому посвящена *Paracelsica* (1942), побуждают Юнга в конце концов опубликовать работы об алхимии и ее отношении к религии и психологии. Важным является указание: *Так я в конце концов достиг территории, составившей основу моего собственного опыта с 1913 по 1917 годы, так как процесс, через который я тогда прошел, соответствовал процессу алхимического превращения, о котором идет речь в «Психологии и алхимии».* [109]

Обращает на себя внимание тот факт, что Юнг не сразу решился *хотя бы отчасти* обнародовать результаты самосозерцания и наблюдений из своей врачебной практики. *В таких вещах осторожность никогда не помешает*, пишет он, *так как инстинкт подражания, с одной стороны, и прямо-таки болезненная жажда украшать себя чужими перьями и рядиться в экзотические одежды, с другой, подстрекают слишком многих людей к тому, чтобы подхватывать подобные «магические» мотивы и употреблять их наружно, как мазь.* [110] По этой же причине он годами не говорит даже со своими ближайшими сотрудниками о своих специальных исследованиях и трудах. Лишь в 1935 году по случаю конгресса общества «Эранос», состоявшегося в Асконе благодаря содействию Ольги Фрёбе-Кептен, он читает доклад о *Символах сновидений в процессе индивидуации* («Eranos-Jahrbuch III», Цюрих, 1936) и тем самым дает возможность научному миру познакомиться с данной проблематикой. Годом позже при тех же обстоятельствах следуют *Представления о спасении в алхимии* («Eranos-Jahrbuch IV», Цюрих, 1937). В этих работах Юнгу удается показать, как серия переживаний во сне может быть связана с различными этапами на алхимическом пути. Эти и подобные публикации вылились в книгу *Психология и алхимия* и привели в конечном итоге к трехтомному труду *Mysterium Coniunctionis* (1955—1957), который может рассматриваться как завершающий этап в исследовательской работе Юнга, связанной с осмыслением специфических душевных противоречий и, главное, с возможностью *их снятия посредством алхимического процесса*.

Если попытаться понять значение алхимии для психологии К. Г. Юнга, то основные итоги представляются в следующем образе. Алхимик принимается за стоящую перед ним задачу, «труд» (opus alchymicum), как человек, который не может и не хочет оставаться тем, кем он является сейчас. Он сам хочет подвергнуться превращению. Поэтому последователь Парацельса в XVI веке Герхард Дорн (Dorneus) выдви-

Лаборатория. Алхимики за работой
Из книги «Mutus liber», 1677

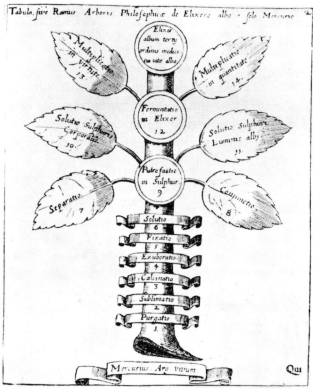

*Двенадцать алхимических операций, представленных
как «arbor philosophica»*

гает программное требование: «Transmutemini in vivos lapides
philosophicos — Превратите сами себя в живые философские
камни!» — то есть найдите сами в себе камень мудрецов или
приготовьте его через превращение собственного существа!
Процедуры, которые должны происходить с «prima materia»,
то есть с еще не превращенной исходной субстанцией, и которые на различных стадиях можно представить в определенных формах (например цветовых), относятся, таким образом,

в конечном итоге и к алхимику. Он сам должен пройти через процесс инициации, т. е. алхимического посвящения, который можно выразить в символах древней химии. Изображаемый здесь процесс соответствует пути спасения, результаты которого из трансмутационного процесса в душе человека переходят на материю; к мистическому явлению присоединяется химическое явление, обусловливающее превращение вещества. Европейские алхимики, явившиеся последователями розенкрейцеров, пытались таким образом понять инкарнацию (воплощение) Христа на Земле. Для них христианство представляется не только путем веры, но и явлением, из которого вышел импульс.

Юнга не особенно интересовало то — и его в этом часто упрекали,— что может возникнуть на уровне трансфизической реальности, например, в области химии. Для него и здесь единственным явлением и реальностью, подлежащей изучению, оказывается психическое, так как каждое духовное явление, а следовательно и алхимическая теория, означает психическую реальность и поднимается в сознание через посредство души. Открытие Юнга заключается в наблюдении, что бессознательное также претерпевает процессы, поразительно напоминающие алхимические с точки зрения содержания образов. Юнг усматривает в том, о чем могут рассказать алхимики, проявление, а точнее проекцию, архетипического, или коллективного бессознательного. Бессознательное проецируется на материальное.

То, что Юнг в этой связи понимает под проекцией, он выражает в *Психологии и алхимии* следующим образом: *Все неизвестное и пустое заполняется психологической проекцией; создается впечатление, как будто в неизвестном отражается скрытая сторона души наблюдающего. То, что он видит и, как ему кажется, узнает, это прежде всего*

его собственные бессознательные обстоятельства, которые он в это проецирует, т. е. в веществе он сталкивается, по-видимому, с теми присущими ему качествами и значениями, психическая природа которых остается для него полностью бессознательной. Это относится преимущественно к классической алхимии, в которой естественнонаучная эмпирика и мистическая философия существуют, так сказать, в недифференцированном виде.[111]

Как убедительно доказывает *Психология и алхимия*, Юнг вначале занимался религиозно-психологической проблематикой алхимии. Он должен был снова возродить и реконструировать по отдельным элементам искусство, забытое со времени эпохи Просвещения и отодвинутое на задний план современным естествознанием, чтобы поставить его на службу психотерапии. Уже одно это культурно-историческое и духовное достижение заслуживает одобрения и признания. Как известно, специальные тексты и иллюстрирующие их гравюры составлены при строжайшем соблюдении дисциплины арканов. Тайна должна была быть сохранена. Поэтому нужно продираться сквозь лабиринты образов и символов, прежде чем становится ясно, что, собственно говоря, имеется в виду.

Так, Юнг знакомит с представлениями алхимиков о спасении. Он рассказывает о цели алхимического труда, а также о его отдельных фазах. Тогда выявляется психическая природа этого труда. Юнг полагает, что *у алхимика во время проведения химического эксперимента были некоторые психические переживания, которые, однако, как ему казалось, являлись характеристикой химического процесса. Так как это были проекции, он, конечно, не осознавал, что его переживания не имели ничего общего с самим веществом (то есть каким мы его сегодня знаем). Он переживал свои проекции как качества вещества. То, что он переживал в действительности, было его бессознательным.*[112] Возникает вопрос, могут ли чувственные и сверхчувственные ощущения алхимика надлежащим и достаточным образом интерпретироваться с помощью юнгианской категории бессознательного? В самом деле, Юнг может сослаться на некоторые описания своих подопечных, которые то в реалистической, то в метафорической форме рассказывают о соответствующих переживаниях (например о видениях). Наряду с этим заслуживает внимания указание Юнга на многочисленные религиозные фигуры и мотивы алхимического процесса, которым притом отводится центральная роль. Так, например, под получаемым «философским камнем» (lapis philosophorum) подразумевается Христос. И так как образ Христа, так же как и цель алхимического процесса, соответствует индивидуации и предполагает обретение психической целостности, то толкование Юнгом архетипа богочеловека находит важное обоснование в области алхимии.

Но стоит ли, для того чтобы познакомиться с учением К. Г. Юнга, более подробно заниматься этой чуждой современному сознанию алхимией? Так ли уж необходим этот, как кажется, окольный путь, каким является не всегда простое чтение работ по алхимии? Чтобы ответить на эти вопросы, надо иметь в виду, что много места в произведениях К. Г. Юнга отводится психологической разгадке алхимической символики, а ее отдельные элементы можно найти практически во всех поздних работах К. Г. Юнга. Еще важнее уже упомянутая личная и предопределенная самой судьбой связь Юнга с алхимической традицией, самоотверженное исследование которой не прерывалось даже во время его путешествия в Индию (1938). В *Воспоминаниях, сновидениях, размышлениях* Юнг рассказывает о том, как ему пришлось шаг за шагом

Гермафродит с крылатым шаром хаоса, семью планетами и драконом. Из книги H. Jamsthaler «Viatorum Spagyricum» (Франкфурт 1625)

вчитываться в труды алхимиков, чтобы разобраться в их специфической манере выражаться: *Это была работа, которая увлекала меня на протяжении десяти лет жизни. Очень скоро я увидел, что аналитическая психология странным образом напоминает алхимию. Опыт алхимиков был моим собственным опытом, и их мир в некотором смысле был моим миром. Я был рад этому открытию, так как нашел наконец исторический эквивалент своей психологии бессоз-*

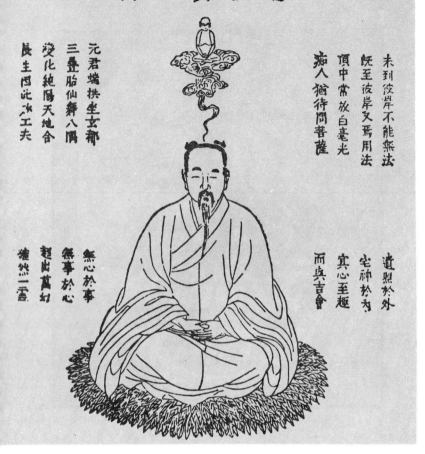

Медитация. Третья стадия (из книги «Золотой цветок»)

нательного. Теперь она обрела историческую почву. Возможность сопоставления с алхимией, равно как и обретение духовной преемственности с гностицизмом, придали ей опору и основательность. Благодаря изучению старых текстов все встало на свои места: мир образов и представлений, опытный материал, собранный благодаря моей врачебной практике, и выводы, которые я из этого сделал...[113]

110

Отношение Юнга
к духовной жизни Востока

Указания на то, что К. Г. Юнг в значительной мере способствовал усилению интереса европейцев к духовному наследию Азии, вполне правомерны. Это, без сомнения, связано не только с тем фактом, что при расшифровке алхимической символики сновидений Юнгу помогло знакомство с трудами по синологии Рихарда Вильгельма. Мысль об изучении духовно-религиозных традиций Востока возникла у Юнга из потребности в целостном взгляде на мир и человека. Особенности структуры сознания людей Востока, отличающейся от европейской и восходящей к предшествующим фазам развития души, казались ему пригодными для того, чтобы пролить свет на некоторые психические проблемы европейцев. Юнг вряд ли подписался бы под известными и часто цитируемыми строчками Редьярда Киплинга, сочиненными в 1889 году: «Да, Запад есть Запад, Восток есть Восток, и вместе им не сойтись». На самом деле его произведения являются аргументом в пользу возможности встречи Востока и Запада.

Эти усилия Юнга явились поводом для упреков в том, что он, якобы, смешивал различные мировоззрения и религии. «Основанная Карлом Густавом Юнгом школа является сильнейшим фактором... способствующим возникновению синкретических настроений... Во всяком случае психология Юнга прямо или косвенно содействует созданию религиозного эклектизма, в котором собраны самые различные религиозные концепции без какой-либо истинно духовной оценки»,— пишет экуменический теолог Вилем А. Виссер'т Хоофт («Ни одно другое имя», Базель, 1965, с. 34 и далее). К этой критике с другой исходной позиции присоединяется религиозный историк и философ Эрнст Бенц. Слышны также и опасения, что учение Юнга будет способствовать снобизму поверхностных адептов йоги и дзэн, то есть модному явлению, искажающему суть дела. Юнговская психотерапия навлекла на себя подозрение в том, что она является суррогатом религии.

Обвинения такого рода слишком серьезны, чтобы можно было удовлетворительным образом рассмотреть их в рамках данной работы. Тем важнее ознакомиться с тем, как сам Юнг понимал значение духовных учений Востока для европейцев.

О мировом противостоянии между Западом и Востоком с давних пор много думали и писали. В Европе всегда находились люди, которые, не считаясь со спецификой восточного мышления, под древним девизом «Ex oriente lux — Свет приходит с Востока» совершали паломничества к учителям йоги в Индию или к японским мастерам дзэн-буддизма, чтобы заполнить азиатской духовностью душевный и духовный вакуум европейцев. Постоянный рост количества книг по этим проблемам, не всегда точных как в фактическом, так и в научном отношении, а также возникновение многочисленных центров обучения в Центральной Европе и Америке свидетельствует о том, что такие потребности существуют и что традиционные конфессии Западной Европы фактически уже не могут выполнять свои прежние функции в культурном и духовном руководстве. Синкретические тенденции, о которых говорит В. А. Виссер'т Хоофт, как, впрочем, и К. Г. Юнг, на самом деле существуют. Этому, конечно, способствует огромный мировоззренческий плюрализм как одна из главных особенностей нынешнего секуляризованного столетия. Вопрос лишь в том, можно ли это вменять в вину Юнгу.

С другой стороны, нельзя упускать из виду, что растет интерес к духовному миру Востока, и с этим нужно считаться. Одним из первых, кто с позиций западноевропейского, а следовательно и христианского, мышления пролил свет на

Рудольф Штайнер

полярность между Востоком и Западом, был Рудольф Штайнер (1861—1925), признававший внутреннюю ценность восточной духовности, но не забывавший при этом и о миссии западного человека. Недавно французский иезуит Пьер Тейяр де Шарден (1881—1955) описал на языке теологии, естественных наук и натурфилософии тенденции глобального эволюционного процесса, объединяющего людей в единую большую человеческую общность.*

Мыслители Востока такого ранга, как сэр Сарвапалли Радхакришнан, лауреат премии Мира Германской книготорговли в 1961 году, стремятся найти то «духовное единство», в котором будет место и для восточной религиозности, и для западного мышления: «То, в чем мы нуждаемся, это не

---

* Ср. Johannes Hemleben: «Rudolf Steiner». Reinbek 1963 (=rowohlts monographien. 79) и Gerhard Wehr: «C.G.Jung und Rudolf Steiner. Konfrontation und Synopse». Stuttgart 1972 (сейчас: Diogenes Tb).

Шри Ауробиндо

манифесты и программы, а сила духа в сердцах людей — сила, которая поможет нам справиться с нашими алчностью и себялюбием и построить мир, полностью соответствующий нашим желаниям» (Радхакришнан, «Духовное единство», Дармштадт-Женева, без года изд., с. 47). Соотечественник Радхакришнана Шри Ауробиндо (1872—1950), создатель интегральной йоги, с оптимизмом смотрит на отношения между Востоком и Западом, когда говорит: «Я не понимаю, почему здесь должна существовать такая непреодолимая пропасть, потому что на самом деле нет существенного различия между духовной жизнью на Востоке и Западе. Расхождения всегда касаются лишь имен, форм и символов, либо упор делается на одну или другую определенную цель или одну или другую сторону психологического опыта. И даже в этом отношении различия часто лишь безосновательно предполагаются, в то время как в действительности они совсем не существуют или по крайней мере не так велики, как кажется».*

Рудольф Штайнер признавал различия такого рода, однако не в качестве причины для возможного раскола человечества, а скорее как фактор взаимодополнительности. 4 июня 1922 года в Вене во время чтения цикла лекций «Мировое противостояние между Западом и Востоком» Штайнер сказал: «Если мы ценим Восток за его духовность, нам нужно ясно отдавать себе отчет в том, что мы должны создать нашу собственную духовность из нашего западного начала. Но мы должны сформировать ее такой, чтобы можно было найти взаимопонимание по всей Земле с каждым из существующих воззрений, особенно со старыми и уважаемыми. Это произойдет тогда, когда мы, жители Центральной и Западной Европы, осознаем, что наше мировоззрение и взгляды на жизнь не свободны от недостатков...» [114]

Как бы ни было трудно сравнивать друг с другом — в целом или по отдельным аспектам — восприятие мира и мировоззренческие системы, строящиеся на различных духовных предпосылках, выявляются все же некоторые параллели и возможности для сопоставления. Это как раз оправдывается в отношении оценки К. Г. Юнгом духовных традиций Азии. В двух пунктах его позиция приближается — с необходимыми оговорками — к позиции Штайнера. С одной стороны, Юнг признает необходимость компенсации интеллектуальной ментальности европейца; он знает, что Восток и Запад представляют две половины единого духовного универсума и *что каждая из этих позиций, несмотря на их противоречие друг с другом, психологически оправданна* [115]. С другой стороны, Юнг не скрывает своей глубокой укоре-

---

* Цит. по: Otto Wolff: «Sri Aurobindo». Reinbek 1967 (= rowohlts monographien. 121). S. 128.

Шри-янтра

ненности в западноевропейской христианской традиции и, несмотря на свое восхищение проявлениями восточного духа, считает недопустимым для европейцев их некритическое приятие или подражание им.

Прежде чем познакомиться с многочисленными высказываниями Юнга по общим и специальным проблемам восточной духовной жизни (в *Собрании сочинений* работы по этим проблемам собраны в обширном одиннадцатом томе *К психологии западной и восточной религии*), следует спросить, какое значение придавал Юнг своим занятиям в этой области. Выяснить это тем более желательно, что процитированные выше предостережения перед якобы синкретическими склонностями Юнга объясняются, по всей видимости, недоразумениями. В предисловии ко второму изданию своих комментариев к изданному Рихардом Вильгельмом китайскому тексту «Тайна золотого цветка» Юнг пользуется возможностью, чтобы указать на такого рода недоразумения, *которые случались даже с образованными людьми при чтении этой книги. Часто полагали, что цель публикации — дать читателям метод к обретению блаженства. Эти люди пытались — при полном непонимании всего того, о чем я пишу в своих комментариях,— подражать «методу» китайского текста. Будем надеяться, что читателей с таким низким духовным уровнем было немного.*[116]

Другое недоразумение Юнг усматривает во мнении, что он в своих комментариях в известной степени описал свой специальный психотерапевтический метод, *который якобы состоит в том, что я в лечебных целях внушаю моим пациентам восточные представления. Я не думаю, что своими комментариями я давал какой-то повод для подобных суеверий. В любом случае такое мнение абсолютно ошибочно и базируется на широко распространенной точке зрения, что психология — это изобретение для определенной цели, а не эмпирическая наука. К этой категории относится также поверхностное и неумное представление о том, что идея коллективного бессознательного является «метафизической». Речь идет об эмпирическом понятии, которое находится на одном уровне с понятием «инстинкт», что сразу понимает каждый, кто читает более или менее внимательно.*[117]

Этих недоразумений Юнг также коснулся и в другой связи. Показательной для его позиции по отношению к восточной духовной жизни является, например, речь, которую он прочитал 10 мая 1930 года в Мюнхене по поводу чествования памяти его друга и духовного единомышленника Рихарда Вильгельма. Это выступление, предваряющее также, начиная со второго издания, книгу *Тайна золотого цветка*, не только содержит признание заслуг крупного синолога, который, по его словам, обладает *редкой харизмой духовного материнства*, но и выражает отношение Юнга к восточной духовной культуре. Для ее понимания он требует преодоления существующих предубеждений при одновременной безусловной открытости для чужой духовности, то есть *разумной увлеченности по ту сторону любой христианской неприязни, по ту сторону любого европейского высокомерия*. Он знает по опыту, что *все заурядные умы теряются либо в слепом самоуничижении, либо в таком же бессмысленном стремлении все порицать*.[118]

Когда Юнг говорит здесь о том, что Вильгельм принес *новый свет с Востока*, что прежде всего он понял, *как много мог бы дать нам Восток для исцеления нашей духовной нужды*, то необходим учет контекста, в котором делается это утверждение. *Духовные нищие наших дней, к сожалению, слишком склонны к тому, чтобы брать подаяние с Востока и слепо подражать его образу действий. Это представляет собой опасность, которую невозможно переоценить и которую Вильгельм тоже ясно ощущал. Европейской духовности нельзя помочь лишь одной сенсацией или новыми острыми ощущениями. Напротив, чтобы обладать, мы должны учиться приобретать. То, что нам может дать Восток, будет лишь помощью в нашей работе, которую нам еще нужно сделать. Чем поможет нам мудрость Упанишад или достижения китайской йоги, если мы оставим наш собственный фундамент, как отжившие заблуждения, и тайком, как бездомные пираты, обоснуемся на чужих берегах?*[119]

Это сказано недвусмысленно. Не менее ясно выражается Юнг, когда указывает на потребность в расширении европейского представления о науке и затем продолжает: *Нам нужна настоящая трехмерная жизнь, если мы хотим узнать живую мудрость Китая. Поэтому сначала нам, видимо, нужна европейская мудрость о нас самих. Наш путь начинается с европейской действительности, а не с упражнений йоги, которые могут скрыть от нас нашу реальность.*[120]

Юнг предчувствует (шел 1930 год!): *Дух Востока — в самом деле ante portas* *. И он уже предвидит две возможности, открывающиеся предстоящей встречей Востока и Запада. В ней скрыта целительная сила, но также и *опасная инфекция*. В соответствии с этим диагност предоставляет способности своего «пациента» решать, что́ он сделает с этими возможностями.

Пятью годами позже, в феврале 1936, Юнг публикует в издающейся в Калькутте газете «Prabuddha Bharata» статью на английском языке *Йога и Запад*. Если прежде его занятия изучением восточноазиатских памятников стимулировались совместными исследованиями с Рихардом Вильгельмом, то эта небольшая статья показывает, как он в качестве западного психолога оценивает систему духовного и физического воспитания Индии. Здесь Юнг прежде всего говорит о том, что актуальное состояние европейца — конфликт между верой и знанием, между религиозным откровением и интеллектуальным познанием. Юнг констатирует *безвыходность, граничащую с духовной анархией...*[121] *В результате исторического развития европеец так удалился от своих корней, что его дух в конце концов раскололся на веру и знание, как любое психологическое преувеличение разрешается появлением пары противоположностей.*[122] Утверждая

---

* здесь: наступает (*лат.*).— *Прим. перев.*

Ламаистская Вайрамандала

такое, Юнг не забывает, что через анализ сложившейся ситуации можно проникнуть в суть аспектов, касающихся исторического развития сознания, которые подробнее рассматриваются учеником Юнга Эрихом Нойманом («История происхождения сознания», Цюрих, 1949). (Штайнер следовал другим путем, стремясь к «духовному руководству человека и человечества».)

Резюме Юнга, которое мы находим на страницах индийского журнала, гласит: *Расщепление западного духа с самого начала дискредитирует адекватное воплощение целей йоги... Индиец знает не только свою природу, но знает также, до какой степени он сам ею является. У европейца, напротив, есть наука о природе, но о своей собственной природе, природе в нем самом, он знает на удивление мало.*[123] В этих словах слышится осознание необходимости в таких представлениях о человеке, которые охватывали бы всю реальность. Впрочем, Юнг обращает внимание и на *душевное предрасположение*, которое у восточного человека совсем другое. Отсюда его совет: *Я говорю, кому могу: «Изучайте йогу. Вы бесконечно многому научитесь благодаря ей. Но не применяйте ее, так как мы, европейцы, не так созданы, чтобы сразу правильно это делать. Индийский гуру все может Вам объяснить, и Вы сможете всему подражать. Но знаете ли Вы, кто применяет йогу? Иными словами, знаете ли Вы, кто Вы такой и что Вы собой представляете?»*[124]

Юнг, конечно, не выступает против йоги как таковой, он считает, скорее, что она *относится к величайшему, что когда-либо создавал человеческий дух.* И все же он довольно решительно критикует применение йоги европейцами. *Духовное развитие на Западе шло совсем другими путями, чем на Востоке, и поэтому создало условия, которые представляют собой весьма неблагоприятную почву для применения йоги.*[125]

Квинтэссенцию идей Юнга по этому поводу выражают пророческие слова или, если понимать их абсолютно дословно, провокационный призыв: *Запад в течение столетий породит свою собственную йогу, и к тому же на почве, созданной христианством.*[126] Это высказывание также нужно тщательно взвесить, чтобы избежать смешения с тем, что получило распространение в качестве «йоги для христиан» или йоги для Запада. Юнг явно имеет в виду нечто большее, чем прагматическое использование европейцами восточных практик. Как бы ни хотелось поймать на слове автора *Йоги и Запада*, здесь можно лишь спросить, как должна выглядеть эта «йога», то есть это обучение, подобающее западному человеку, соответствующее его специфической задаче на службе человечества, базирующееся на христианском фундаменте, и существуют ли уже где-нибудь предпосылки для этого. Настоятельность, которая звучит в этом вопросе, вызвана еще и другой проблемой, которая неожиданно была затронута в том же самом сочинении в 1936 году. Это проблема человеческих возможностей и их пределов, которая приобрела невиданную доселе актуальность ввиду достижений недавней индустриальной революции. То, что было написано за три года до второй мировой войны и за девять лет до Хиросимы и Нагасаки, приобретает еще большее значение по отношению к настоящему и будущему. *Власть науки и техники в Европе так велика и бесспорна, что почти не имеет смысла знать обо всем, что уже могут люди и что уже было изобретено. Становится страшно при мысли об огромных возможностях человека.* Юнг задает этический вопрос: *Кто пользуется этими возможностями? В чьих руках находится эта власть? Государство пока является временным защитным механизмом, оно, по-видимому, предохраняет граждан от громадного количества ядов и других дьявольских средств разрушения, которые в любое время в кратчайшие сроки могут быть получены тысячами тонн.* И далее: *Знания стали так опасны, что все более безотлагательным становится вопрос не о том, что можно было бы еще создать, но о том, каким должен быть человек, которому доверен контроль над этими «знаниями», или каким образом можно было бы так изменить западного человека, чтобы он отказался от своих страшных знаний.*[127] Юнг, действительно, полагает, что бесконечно более важной является задача избавления человека от иллюзии его всесилия, *чем дальнейшее утверждение его в заблуждении, что он сможет все, что только захочет.*

Из сказанного вытекает прежде всего необходимость в усилении силы сознания и укреплении моральной субстанции, ведь речь идет не только о преодолении часто обсуждающегося «культурного отставания» (cultural lag), но и, сверх того, об активизации тех познавательных и этических резервов, которые нужны современному человеку для решения своих технических и цивилизаторских проблем. Юнг поэтому полагает: *Западный человек не нуждается в превосходстве над внешней и внутренней природой. Он обладает и тем, и другим почти в дьявольской степени. Чего у него, однако, нет, так это сознательного признания собственной зависимости от природы вокруг него и в нем. Ему следует научиться тому, что он не может того, чего хочет. Если он этому не научится, то его собственная природа разрушит его. Он не знает своей души, которая бунтует, убивая его.*[128]

Не желая преуменьшать значение К. Г. Юнга, следует, однако, отметить, что при всем этом Юнг как врач сначала вынужден ограничиться диагнозом. Хотя его психология и психотерапия более, чем любой другой метод, оперируют фактами из широчайшего спектра явлений, Юнг все же не ощущает себя реформатором культуры или кем-то вроде этого. Эта скромность делает ему честь. При соответствующих обстоятельствах было бы, однако, естественным ожидать от психолога с таким кругозором, как у него, исследования практикуемых на Западе терапевтических и духовных путей обучения. Но получал ли он подобное предложение, на которое, конечно, согласился бы? Так, из-под его пера вышли психологические комментарии к текстам из области восточных религий: к неоднократно уже упомянутому «Золотому цветку», к «Тибетской книге великого освобождения», к «Бардо Тходол» («Тибетской книге мертвых»); он выразил свое отношение по поводу «К психологии восточной медитации» и написал ряд подробных предисловий, например, к книгам Д. Т. Судзуки, Генриха Циммера и к «И Цзин». Напротив, религиозных учений Запада, не считая алхимии позднего средневековья, он зачастую касался одним махом, не проводя никаких различий между ними и тем самым приводя в замешательство неспециалистов; так, например, в одном контексте мы можем встретить упоминание о *массовом импорте экзотических религиозных систем,* о религии Абдул Бахаи, о суфийских сектах, миссии Рамакришны, западном буддизме, американском Christian Science, англо-индийской теософии Елены Петровны Блаватской и Анни Безант наряду с антропософией Рудольфа Штайнера, сознательно примыкающей к среднеевропейскому духовному наследию.

В жизни и творчестве Карла Густава Юнга значительную роль играют также заокеанские путешествия. В двадцатые годы он посетил Северную Африку, затем познакомился с индейцами пуэбло (*Европу, нашу важнейшую проблему, я пойму лишь тогда, когда увижу, что я как европеец, не годжусь для этого мира* [129]). В 1925 году он путешествует по Кении и Уганде. (*У меня было такое чувство, как будто я только что вернулся в страну моей юности и как будто я знал того незнакомого человека, который ждал меня в течение пяти тысяч лет... Я знал лишь, что его мир был моим в течение неисчислимых тысячелетий...* [130])

В 1938 году Юнг принял приглашение британско-индийского правительства принять участие в 25-й годовщине со дня основания университета в Калькутте. Не считая статей, опубликованных им в нью-йоркском журнале «Азия» в 1939 году, об этом имеются записи в *Воспоминаниях, сновидениях, размышлениях*: *В Индии я в первый раз был под непосредственным впечатлением чужой, высокодифференцированной культуры. Во время моего африканского путешествия определяющими были совсем другие впечатления, чем культура, и в Северной Африке у меня никогда не было возможности поговорить с человеком, который был бы в состоянии выразить свою культуру в словах. Но вот у меня появилась возможность поговорить с представителями индийского духа и сравнить его с европейским духом. Это имело огромное значение.* [131] Так, он познакомился с С. Зубраманайя Айером, гуру махараджи южноиндийского штата Мисор.

Все же бросается в глаза то особое значение, которое Юнг придает утверждению, что он хотя и был знаком с многочисленными представителями культурной жизни Индии, но сознательно избегал любого контакта *со всеми так называемыми «святыми»*, эзотериками и духовными вождями этой страны.

Генрих Циммер, известный индолог, которому Юнг обязан важными прозрениями в сущность индуизма,

С другом в Африке, 1925

спрашивал Юнга, был ли он по крайней мере у великого посвященного Махариши из Тируваннамалаи, Шри Рамана. В 1944 году Юнг пишет во введении *Об индийском святом* к последнему произведению Генриха Циммера «Путь к себе. Учение и жизнь индийского святого Шри Рамана Махарши из Тируваннамалаи»: *Возможно, мне все же следовало посетить Шри Раману. Однако я боюсь,*

В Египте, 1926

что если бы я еще раз поехал в Индию, чтобы наверстать упущенное, со мной было бы то же самое: несмотря на исключительность и неповторимость этого, без сомнения, выдающегося человека, я не смог бы заставить себя встретиться с ним лично.[132] Отчего же это? Как ни странно, Юнг сомневается в исключительном. Он полагает, что может видеть лишь типичное,— то, что встречается во

многих других формах проявления индийских будней. Лишь с точки зрения европейца это может претендовать на неповторимость. *Поэтому мне и не нужно было его посещать, я везде видел его в Индии — в образе Рама-кришны, в его учениках, в буддийских монахах, в бесконеч-ном разнообразии других образов индийских будней, и слова его мудрости являются sous-entendu* индийской душевной жизни...*[133]

Юнг много хорошего может сказать о Рамане и об индий-цах, продвинувшихся по пути духовного совершенствования. *Я ни в коем случае не недооцениваю значительный образ индийского святого, но ни в коем случае не беру на себя сме-*

---

* здесь: намек (*фр.*).— *Прим. перев.*

лость правильно судить о нем как об изолированном феномене.[134] На последнюю причину этой сдержанности указывает замечание о духовной укорененности психики западного человека, когда Юнг говорит в этой связи: *Я счел бы за воровство, если бы учился у святых и усвоил для себя их правду. Их истина принадлежит им, а мне принадлежит лишь то, что рождается во мне самом. В Европе я совершенно ничего не могу заимствовать у Востока, а должен жить своей жизнью.*[135] Потребность *жить своей жизнью* проявилась у Юнга во время его путешествия в Индию в том, что он продолжил свои исследования в области алхимии, взяв с собой компендиум «Theatrum Chemicum», изданный в 1602 году. Он изучил книгу *с начала до конца. Древнеевропейское духовное богатство находилось, таким образом, в постоянном соприкосновении с впечатлениями от чужой духовной культуры. Их источником явился непосредственный душевный первичный опыт бессознательного, и, следовательно, их достижения были похожи или по крайней мере сопоставимы.*[136]

То, что Индия и духовная жизнь Востока значили для Юнга, отразилось, по-видимому, в описании и интерпретации сна, который он увидел в конце своего удивительно богатого впечатлениями пребывания в Индии. Само сновидение не имеет ничего общего с традициями страны, с которой он теперь познакомился лично, а связано с центральной идеей западной эзотерики — святым Граалем. *Сновидение сильной рукой стерло все самые интенсивные дневные индийские впечатления, и я был поставлен перед слишком давно пренебрегаемой задачей Европы, которая когда-то выражалась в поисках святого Грааля, а также «философского камня». Я был взят из мира Индии, и мне напомнили о том, что Индия не была моей задачей, а лишь отрезком* *пути — хотя бы даже и значительным,— который должен был приблизить меня к моей цели. У меня было впечатление, как будто сновидение спрашивало меня: Что ты делаешь в Индии? Ищи лучше для таких, как ты, живительный сосуд, salvator mundi* (намек на алхимическую символику), в котором вы срочно нуждаетесь. Вы ведь готовы уничтожить все то, что было воздвигнуто в течение столетий.*[137]

Так Индия, как признается Юнг, все же запечатлела свои следы в его сознании. Однако индийское духовное начало было для него не целью, а в лучшем случае промежуточной станцией на пути — на том пути, которым, как кажется Юнгу, должен идти западный человек.

Нельзя не сказать о конкретном результате от соприкосновения с духом Востока. Это то, что Юнг позднее назвал *синхронностью или синхронным принципом.* Он натолкнулся на этот феномен во время своего изучения китайской гадательной книги «И Цзин». *Принцип, лежащий в основе практики И Цзин ... находится, по всей видимости, в острейшем противоречии к нашему европейскому научно-каузальному мировоззрению.*[138] Китайский способ мышления, нашедший выражение в «И Цзин», был так важен для Юнга потому, что его психологическая практика уже с середины двадцатых годов давала повод искать соответствующий принцип для объяснения определенных психических явлений. *Я обнаружил вначале, что существуют параллельные психологические явления, отношения между которыми определяются не каузально, но каким-то иным типом связи. Мне казалось, что эта взаимосвязь состояла в их относительной одновременности, отсюда термин «синхронный». Возникает впечатле-*

---

* здесь: спасение мира (*лат.*).— *Прим. перев.*

ние: как будто время — это вовсе не абстракция, а скорее конкретный континуум, обладающий свойствами или основными предпосылками, которые могут проявляться относительно одновременно в различных местах в акаузальном параллелизме, как, например, в случаях одновременного появления тождественных мыслей, символов или психических состояний.[139]

Юнг долго колебался, прежде чем выступить на XX конгрессе общества «Эранос» в 1951 году с докладом *О синхронности* и затем в изданной совместно с Вольфгангом Паули книге «Объяснение природы и психики» подробно осветить *синхронность как принцип акаузальной связи.* Там он пишет: *Синхронность не более загадочна или таинственна, чем дискретность в физике. Лишь из-за укоренившегося убеждения во всесилии каузальности возникают трудности для понимания и представляется невозможным существование беспричинных событий. Однако если они случаются, то мы должны их рассматривать как акты творения в смысле creatio continua* издавна — и отчасти спорадически — повторяющейся упорядоченности, которая не может быть выведена из каких-либо определяемых предпосылок... Смысловые совпадения считаются чистыми случайностями. Однако чем больше их накапливается и чем больше и точнее соответствия между ними, тем меньше их вероятность и тем более возрастает их непостижимость, то есть они не могут больше считаться простой случайностью, а из-за невозможности их каузального объяснения должны пониматься как упорядоченности...*[140]

По этой и подобным причинам Юнг пришел к выводу о необходимости наряду с пространством, временем и каузаль-

---

* непрерывное сотворение (*лат.*).— *Прим. перев.*

ностью ввести категорию, *которая не только дает возможность охарактеризовать синхронные феномены как особый класс природных явлений, но также понимает случайное как, с одной стороны, всеобщее, существующее с давних пор, а с другой стороны, как сумму многих совершающихся во времени индивидуальных актов творения*[141]. (Сложность вопросов, связанных с проблемой синхронности, обусловливает необходимость тщательного знакомства с соответствующей литературой, от чего мы вынуждены отказаться из-за ограниченного объема исследования.)

Медитация. Четвертая стадия (из книги «Золотой цветок»)

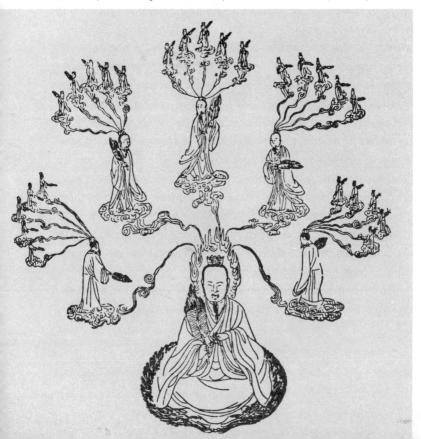

Точно так же как современная физика вышла за пределы общепринятой до сих пор картины мира и привела в движение считавшиеся до того абсолютными законы природы, так и благодаря вкладу К. Г. Юнга открылись перспективы нового, более широкого понимания действительности.

Психотерапия

Карл Густав Юнг начинал как психолог и психотерапевт, хотя основы того, что сегодня под этим понимается, сначала должны были быть созданы — и в значительной мере — им самим. Когда в 1957 году в рамках немецкого издания *Собрания сочинений* началась работа над шестнадцатым томом *Практика психотерапии*, Юнг, которому в то время было 82 года, сумел это оценить. Об этом свидетельствует его письмо издателям — тогда ответственными за выпуск были Марианна Нихус-Юнг, Лена Хурвиц и Франц Н. Риклин — с выражением согласия и благодарности: *Этим Вы демонстрируете понимание того факта, что мой вклад в знания о душе основывается на практическом опыте работы с людьми. Именно стремление в течение пятидесятилетней врачебной практики к осмыслению душевных недугов с психологической точки зрения привело меня ко всем моим позднейшим выводам и заключениям и, с другой стороны, побуждало меня на непосредственном опыте снова перепроверять и модифицировать мои результаты.*[142]

Но как соотносятся работы по психотерапевтической практике с исследованиями, являющимися по преимуществу историческими? В предисловии к этому тому Юнг обращает внимание на то, что исторический анализ и психотерапевтическая практика лишь кажутся несоизмеримыми величинами. Напротив, при лечении пациента становится все более ясным, что психическое поведение *в значительной степени определено исторически. Психотерапевт должен познакомиться не только с личной биографией своего пациента, но и с духовными предпосылками его ближнего и дальнего окружения, где проявляются и часто играют решающую роль традиционные и мировоззренческие влияния.* Поэтому ни один психотерапевт не сможет обойтись без знакомства с символикой языка сновидений. И как раз для этого, очевидно, необходимы знания, которые далеко выходят за пределы традиционного естествознания и медицины. Сам Юнг является лучшим доказательством этой необходимости.

Из сказанного, в сущности, само собой вытекает, что работу *К проблеме психотерапии и психологии трансфера* (так звучит подзаголовок) также нельзя рассматривать в отрыве от книг, содержанием которых являются преимущественно «исторические» явления.

Юнгу часто представлялась возможность в устных выступлениях и печатных работах, на медицинских конгрессах, в научных докладах и публикациях прессы излагать принципиальную и практическую стороны психотерапевтической деятельности. Это было тем более необходимо, что психотерапия и связанные с ней проблемы лишь постепенно завоевывали признание в науке и обществе. В докладе *Некоторые аспекты современной психотерапии,* прочитанном на конгрессе Society of Public Health в 1929 году в Цюрихе, Юнг обратил внимание на эту проблему: *Психотерапия и современная психология существуют пока лишь благодаря индивидуальным попыткам и экспериментам и до сих пор использовались мало или вообще не нашли всеобщего применения. Их использование полностью предоставлено инициативе отдельных врачей, причем они не получают поддержки*

*Десять ступеней жизни. Каждому возрасту,
персонифицированному человеческой фигурой, приписывается
какое-либо животное. Позади центральной фигуры —
в возрасте пятидесяти лет — стоит смерть как символ бренности.
Гравюра на меди Йорга Брея мл. Около 1530*

*даже от университетов. И все же проблемы современной
психологии вызвали большой интерес, совершенно несо-
измеримый с оказываемым им незначительным официаль-
ным вниманием... Медицинская психология все еще
остается новаторским делом...*[143]

Это усугублялось еще и тем обстоятельством, что новое,
возглавляемое в основном Фрейдом и Бройером движение
слишком рано раскололось на «школы» с казавшимися про-
тивоположными исходными позициями, не говоря уже о
шоке, вызванном сексуальной теорией Фрейда и отныне не-

«Душа», указывающая путь. Акварель Вильяма Блейка к «Purgatorio» Данте, песнь IV

отделимом от понятия «психоанализ». Юнгу, без сомнения, досталась значительная часть новаторской работы. Она включала в себя посредничество между научными направлениями. *Обозрение разнообразных мнений всегда было моей потребностью. Мне никогда не удавалось в течение продолжи-*

тельного времени не замечать правомерности мнений, отличающихся от других [144], — читаем мы в отчете конгресса Германского психотерапевтического общества за 1929 год. Как разъяснил Юнг в своем учении о психологических типах, различные и даже противоположные позиции и мнения связаны, как правило, с соответствующими психическими предпосылками данных личностей. Из того, что узнает диагност, терапевт должен сделать практические выводы.

Что же, собственно говоря, Юнг понимает под психотерапией? Каким принципам он следует, какие цели преследует, какие средства при этом применяются?

Сначала важно указать на то, что психотерапию в понимании Юнга нельзя путать с каким-либо простым или определенным методом. От старых приемов, от так называемого «суггестивного метода», при котором использовался также и гипноз, нужно было отказаться. Выяснилось, что пациент не должен деградировать до пассивного объекта, его нужно вовлекать в *диалектический процесс*, при котором совершается плодотворный обмен между врачом и пациентом, а пациент приобщается к сотрудничеству. (Ниже еще пойдет речь о том, что действия Юнга подвергались критике со стороны Мартина Бубера, а также некоторых учеников Юнга, утверждавших, что ему со своим диалектическим методом не удается добиться подлинной диалогичности.)

Отношение между врачом и пациентом формулируется следующим образом: *Личность — это психическая система, которая в случае воздействия на другую личность вступает во взаимодействие с другой психической системой.* [145] Каким бы сухим ни казалось это юнговское определение 1935 года, воспринимавшееся тогда как «самое современное», с его точки зрения оно было оправданно. Он стремится к применению на практике понимания соответствующих психических или типологических предпосылок человека. Это выражается, например, в отношениях между врачом и пациентом. В отличие от прежней суггестивной терапии индивидуальные особенности учитываются в должной мере. Отсюда проистекают высокие требования к терапевту. Это *больше не действующий субъект, но человек, который вместе с пациентом проходит через процесс индивидуального развития.*[146] Вследствие этого он должен обладать определенными качествами, соответствующими сложностям любого тщательного психотерапевтического лечения. Так, Юнг первым потребовал, чтобы психоаналитик сам подвергался анализу, так как он также может иметь комплексы, проявляющиеся в виде белых пятен в диагнозе и тяжелых последствий при терапии. Юнг устанавливает основной принцип: *Терапия пациента начинается, так сказать, с врача: лишь если он сам умеет справляться с собой и своими собственными проблемами, он сможет научить этому пациента.*[147]

Проблему особого рода представляет «трансфер» (Übertragung), на значение которого заблаговременно указывал уже Фрейд. Он знал, что в аналитической практике едва ли удастся избежать, по крайней мере в течение некоторого времени, акцентирования отношений между врачом и пациентом. При этом при соответствующих обстоятельствах может произойти частично сознательная, частично бессознательная идентификация врача и пациента. К подобным ситуациям терапевт должен быть готов. Точное знание специальных методов представляет собой само собой разумеющуюся предпосылку его образа действий, даже если диалектическая или диалогическая ситуация психотерапевтического лечения не позволяет заранее говорить о намеченном пути лечения: *Меня часто спрашивают о моем психотерапевтическом или аналитическом методе. Я не могу дать на* это однозначного ответа. *В каждом случае терапия индивидуальна. Если врач говорит мне, что он строго следует тому или иному методу, то я сомневаюсь в психотерапевтическом эффекте... Психотерапия и анализ так же различаются, как и человеческие индивидуумы... Общие правила можно установить лишь cum grano salis *. Истина в психологии лишь тогда имеет ценность, когда она не является неприкосновенной. Решение, неприемлемое для меня, для кого-то другого может быть как раз верным.*[148]

Что касается цели работы психотерапевта, то Юнг исходит из того, что она должна определяться на научной основе в творческом исследовании. В соответствии с этим психотерапевт стремится к тому, чтобы *воспитывать в человеке самостоятельность характера и моральную свободу согласно с выводами, полученными в результате непредубежденного научного исследования* [149]. (Здесь не рассматривается вопрос о том, в какой мере это достижимо.) Контекст, в котором были высказаны эти слова в одном из докладов в 1941 году, позволяет ясно понять, что психотерапия не может подвергаться фальсификации из-за идеологического вмешательства или возможного влияния со стороны государства. Юнг не согласен также с утверждением, что индивидуум должен подчинять свои интересы интересам общества. Будучи свидетелем общественно-политических процессов первой половины XX века вплоть до их катастрофического завершения в 1945 году, он знает о силе обольщения, которую может проявлять общество, например, когда государство предъявляет тоталитарные требования и проводит их в жизнь с применением грубой силы. В *Статьях к вопросу о современной истории* это понимание нашло свое воплощение. Поэтому Юнг причисляет к целям

---

* cum grano salis — с известной оговоркой; дословно: с крупицей соли (*лат.*).— *Прим. перев.*

психотерапии *достижение единства с самим собой и одновременно с человечеством, которым мы также являемся.* Этот процесс обретения зрелости в своей законченной форме он назвал *индивидуацией.* Истинное единство для Юнга имеется лишь там, где этот процесс становления самостоятельной индивидуальности происходит добровольно и свободно. С другой стороны, Юнг знает: *Без такого единства даже центрированный в себе самом и самостоятельный индивидуум не может успешно развиваться в течение продолжительного времени.*[150]

Пытаясь найти равновесие между индивидуальностью и силами социума, он стремится к *равновесию между радостью и страданием.* Лишь там жизнь являет свою целостность и полноту, где есть страдания, боль, судьба. *Поэтому благороднейшей целью психотерапии является стремление не осчастливить пациента, но придать ему твердость и философское терпение при перенесении страданий.*[151] В конечном итоге за этим стоическим высказыванием ощущается решительное приятие земного,— то приятие, которое — в противоположность восточному отношению к жизни — может высказываться лишь с позиций христианства. И именно этим характеризуется деятельность К. Г. Юнга как терапевта.

Таким образом, работа психотерапевта — часто трудная и длительная — рассматривается в контексте со многими другими вещами. Практическая работа совершается маленькими и мельчайшими шагами, как, например, при освещении того, что,

Сон Иакова. Гравюра на меди из Мерианской Библии
Франкфурт 1704

первоначально в загадочной форме, порождается бессознательным. С призыва «осознать причины» психических отклонений начинал когда-то Фрейд. За суггестивным или гипнотическим последовало лечение с применением фрейдовской теории вытеснения. В соответствии с этой теорией Фрейд говорил о том, что Я (как сознательная часть психического аппарата) отстраняет, то есть «вытесняет», неприятные переживания в бессознательное, обозначаемое им как Оно. *Теория вытеснения ... учитывала тот факт, что типичные неврозы являются нарушениями в развитии в прямом смысле слова. Фрейд понимал нарушение как вытеснение инфантильно-сексуальных побуждений и тенденций и их превращение в бессознательные.*[152] На пути анализа сно-

видения, которое является «нашим наиболее удобным объектом исследования» (Фрейд), необходимо выявить эти явления у пациента. Своим эпохальным произведением «Толкование сновидений» (1900) Фрейд проложил путь для современной психотерапии.

Карл Густав Юнг всегда отдавал должное этому факту, хотя сравнение их методов показывает, что он как в теоретическом, так и в практическом плане не во всем мог следовать автору «Толкования сновидений». Не говоря уже об упомянутых выше различиях в мировоззрении, Юнг отдает предпочтение позиции пациента перед стремлением Фрейда раскрыть причины невроза. *Задача психотерапии состоит в том, чтобы изменить сознательную позицию, а не в том, чтобы гоняться за забытыми воспоминаниями детства.*[153] Юнг, правда, признает, что одно без другого невозможно, однако главный акцент он делает на наблюдении над сознательной позицией больного. В качестве причины указывается на стремление невротика предаваться воспоминаниям и чувству жалости к самому себе, так как *невроз часто состоит как раз в зависимости от прошлого и в том, что он пытается все объяснять и оправдывать при помощи прошлого*[154]. О том, что Юнг придает значение также активному сотрудничеству с пациентом, а именно при работе со сновидениями, уже говорилось.

К различной расстановке акцентов добавляются расхождения при интерпретации психических феноменов, особенно при трактовке сновидений. В своей последней, оставшейся в виде фрагмента, работе «Очерк психоанализа», начатой в 1938 году, Фрейд еще раз обрисовал метод своего толкования сновидений: «Мы вступаем на путь понимания ('толкования') сновидения, предполагая, что то, о чем мы после пробуждения вспоминаем как о сновидении, является не истинным сновидческим событием, а лишь фасадом, за которым оно скрывается».[155] Это представление характерно для исходной позиции Фрейда. Поэтому Фрейд отличает «явное содержание сновидения» от «скрытой мысли сновидения». В соответствии с этим «работа над сновидением» состоит в том, чтобы выявить явное содержание сновидения из скрывающейся за своего рода «фасадом» мысли сновидения. Бессознательное в соответствии с этим выражается в сновидении лишь опосредованно, тем более что «цензор» заботится об искажении или зашифровке подлинной мысли сновидения. Согласно Фрейду, сновидение выражает вытесненное желание и соответствует, таким образом, подавленному стремлению. С помощью открытого Фрейдом метода можно «толковать» сновидение, и притом по преимуществу «каузально», то есть с точки зрения причины. В «Лекциях по введению в психоанализ» (1916/17) прямо говорится, что возникающая в сновидении символика позволяет нам «при соответствующих обстоятельствах толковать сновидение без опроса сновидящего... Так, теперь мы в состоянии толковать сновидение непосредственно, переводить его, так сказать, с листа».

У Юнга все по-другому. Вряд ли можно о нем сказать, что он так же самоуверен в отношении использования метода. Это объясняется не недостатком самоуважения, а его собственными, отличными от фрейдовских взглядами. Сначала Юнг отдает должное *мужественным усилиям Фрейда ... освещать неясности психологии сновидений при помощи знаний, полученных им на поприще психопатологии.* Но затем он делает оговорку: *Как бы я ни восхищался смелостью его попытки, я не могу согласиться ни с его методами, ни с его результатами.*[156]

Уже на вопрос, что такое сновидение, Юнг отвечает иначе, чем Фрейд. Для него (Юнга) сновидение — это *скрытое*

отражение психики, смысл которого раскрывается эмпи-
рически. По опыту он знает, что *если достаточно долго и глу-*
боко медитировать над сновидением, то есть носиться с
ним и напряженно думать о нем, то из этого почти всегда
что-нибудь получается.[157] То, что при этом *получается*, однако же, не спрятано за «фасадом». Невротик, по мнению
Юнга, без сомнения, должен скрывать что-то неприятное.
Но можно ли обобщенно приложить этот тезис по отношению к любому сновидящему? *Я сомневаюсь, что мы можем*
предполагать, будто сновидение является чем-то другим,
чем оно кажется. Со ссылкой на Талмуд, авторы которого
как люди древности обладали необыкновенно большим опытом в области сновидений, Юнг противопоставляет тезису
Фрейда антитезис: *Я воспринимаю сновидение как то, чем*
оно является.[158] Ввиду сложного и комплексного характера материала, который представляет собой сновидение даже
для опытного психоаналитика, он не решается приписывать
бессознательному тенденцию к введению в заблуждение.
В опубликованной в 1928 году работе *Общие представления*
о психологии сновидений можно прочесть следующее определение: *Сновидение — это психическое образование, для*
которого, по его форме и смыслу, в противоположность к
другим содержаниям сознания, по-видимому, не характер-
на непрерывность развития содержаний сознания.[159] К тому
же для Юнга сновидение — еще и *природное явление.* Он не
видит причин для того, чтобы считать сновидение *хитрой*
выдумкой для введения нас в заблуждение.[160] В конце концов, сны видят не только невротики. Природа, продолжает
он, хотя и бывает часто неясной и непроницаемой, однако
не *хитрой*, как человек. *Поэтому нужно предположить,*
что сновидение представляет собой как раз то, чем оно
должно быть, не более и не менее.[161]

Что касается затронутого вопроса о непрерывности сновидения, то Юнг подтверждает существование *ретроспективной непрерывности* (назад) и *проспективной непрерывности* (вперед). Таким образом уже затрагивается одна из важных проблем толкования — следующий момент, по которому юнгианская позиция противоречит фрейдистскому, главным образом каузально ориентированному, подходу. Юнг обогащает каузальную перспективу финальным аспектом: к вопросу «почему» он добавляет вопрос «для чего» и одновременно замечает: *Финальный подход к сновидению, который я противопоставляю фрейдовскому взгляду, означает, как я настоятельно хотел бы констатировать, не отрицание причины сновидения, но, возможно, другую интерпретацию материалов, являющихся его основой.*[162]

Из этого, очевидно, вытекают последствия для толкования сновидений вообще. Это толкование не связано какой-либо более или менее жесткой предпосылкой, не фиксируется на каком-либо определенном значении, например с сексуально окрашенной символикой. На место однозначности приходит открытость в смысле истинных символов, то есть обращенных ко многим измерениям. *Ибо символ остается живым лишь до тех пор, пока он заключает в себе смысл.*[163]

Но как Юнг воплощает это на практике?

Если мы ... должны объяснить сновидение с психологической точки зрения, то мы должны сначала знать, из каких прошлых переживаний оно состоит.[164] Каждый отдельный фрагмент сновидения соотносится с какими-либо прежними переживаниями и опытом. Увиденное во сне, следовательно, никогда не существует само по себе, его скорее нужно рассматривать в *контексте*. Сюда относятся также другие сновидения, относящиеся к тому же самому отрезку времени, и прежде всего — серии сновидений. Как известно, в

«Ночная поездка морем» (Иосиф в бочке; Положение Христа во гроб; Иона во чреве кита). Иллюстрации из «Biblia Pauperum», немецкое издание 1471 года

творчестве Юнга они играют исключительно важную роль. При этом могут возникать родственные символические мотивы, которые при соответствующих обстоятельствах облегчают интерпретацию. Из них или из неожиданной смены мотивов затем можно сделать соответствующие заключения. Важным является также знакомство с состоянием сознания сновидящего в данный момент времени. То же самое касается философских, религиозных и моральных убеждений. Юнг полагает, что все сновидения компенсируют соответствующее содержание сознания, даже если эта компенсаторная функция не всегда ясно сознается. *Поэтому не удивительно, что в сновидениях большую роль играют религиозные компенсации.*[165] Юнг усматривает причину этой потребности в компенсации в господствующей материалистической и атеистической или безрелигиозной ориентации современного человека. Кроме того, Юнг считает точку зрения Фрейда, что сновидения выполняют функцию осуществления желаний, *слишком узкой.*

Если различие между «явным содержанием сновидения» и «скрытой мыслью сновидения» для Юнга не имеет значения, то для его позиции важна другая дифференциация,

10*

которая особенно влияет на толкование. Сновидение может происходить на «уровне субъекта» или «уровне объекта». Интерпретация сновидения на «уровне объекта» означает, что переживания сновидящего связаны с объектами, лицами и вещами из его окружения. Интерпретация сновидения на «уровне субъекта» означает, что образы сновидения относятся к субъекту сновидения и характеризуют его состояние; они либо дают ретроспективный обзор прошедших событий, либо предупреждают, привлекая внимание к возможному предстоящему. С этой точки зрения, все создание сновидения *субъективно, и сновидение — это тот театр, где сновидящий является сценой, актером, суфлером, режиссером, автором, публикой и критиком. Эта простая истина составляет основу того понимания смысла сновидения, которое я обозначил как толкование на уровне субъекта. При этом толковании, как свидетельствует термин, все действующие лица сновидения воспринимаются как персонифицированные черты личности сновидящего.*[166] Конечно, при попытках интерпретации нужно тщательно взвешивать, какой из уровней — субъекта или объекта — ведет к цели, то есть *репродуцируется ли образ ради своего субъективного или объективного значения*[167].

На множестве примеров из своей практики, когда он, по его собственному свидетельству, анализировал зачастую более тысячи сновидений в год, Юнг продемонстрировал в своих работах основы и методические возможности разработанного им толкования сновидений. Нет необходимости в специальном упоминании о том, что с введением финальной точки зрения целесообразность и целенаправленность юнгианских интерпретаций еще более возрастает. Усилия Юнга стоят на службе психотерапии и преследуют здесь основную цель — достижение индивидуации. Процесс индивидуации выражается в самых различных символах, которые находятся в близком родстве с фольклорными, гностическими, алхимическими и даже шаманскими представлениями. Так как эти элементы могут повторяться в сериях сновидений — Юнг доказал это в своих произведениях самым убедительным образом,— то на основе сновидений можно проследить и объяснить процесс исцеления, или обретения целостности. *При привлечении этих материалов для сопоставления обнаруживается масса «экзотических», «притянутых издалека» доказательств, и тот, кто не прочтет книгу, а лишь просмотрит ее, может легко впасть в иллюзию, что перед ним гностическая система. Но в действительности процесс индивидуации представляет собой такое в зависимости от обстоятельств простое или сложное биологическое событие, при котором каждое живое существо становится тем, к чему оно с самого начала было предназначено.*[168] Если символы в сновидениях представляют собой что-то вроде мостиков, связывающих сознание с бессознательным, тогда их обширное и точное значение является для аналитика необходимым. С другой стороны, аналитик юнгианского направления застрахован от уверенности в том, что простое знание символов, которыми Юнг мастерски владел, уже представляет собой своего рода ключ к бессознательному, с помощью которого можно работать «без обращения к сновидящему» (Фрейд). Здесь важнее требование диалога между врачом и пациентом. Врач становится помощником для воплощения принципа «Стань тем, кто ты есть». Внутри процесса выздоровления намечается «путь спасения». (Впрочем, Юнг сознательно избегает этого обозначения. Как западный человек, он усматривает путь спасения в христианстве, недвусмысленно отметая от себя религиозные претензии. В конце концов, он слишком хорошо знает, что на пути индивидуации человеку

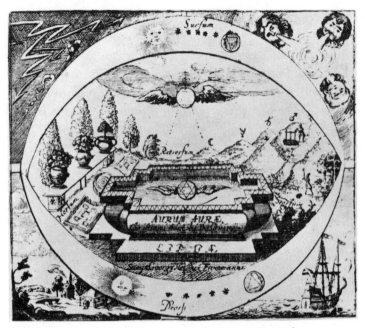

Крылатый универсум (называемый «Aurum aurae»)
как конечный продукт алхимического труда и его
отражение в источнике жизни. Титульный лист из книги
C. A. Balduinus «Aurum superius & inferius aurae superioris &
inferioris Hermeticum» (Франкфурт и Лейпциг 1675)

могут угрожать серьезные препятствия и опасности. Уже это избавляет Юнга от подозрений, что он якобы вышел за пределы своей врачебной компетенции.) И все же многие церковные и теологические критики Юнга высказывали опасение, что в такую секуляризированную эпоху, как наша, психотерапия становится одним из многих суррогатов религии.

Поскольку любые честные и по своим намерениям позитивные усилия могут быть извращены и искажены подражателями и критиками, то такого рода результаты не следует путать с первоначальной целью. В целом же следует сказать, что при психотерапевтическом лечении заблокированная религиозная активность, несомненно, может возрождаться и оживляться. В закодированных образах сновидений может звучать «забытый язык Бога», как показал протестантский теолог Джон А. Сэнфорд в своей книге с тем же названием. О том, что Юнг не ощущал искушения оказывать содействие одной из конфессий или целиком стать приверженцем какого-либо вероисповедания, уже говорилось. Юнг оставался врачом и целителем, но зато в превосходной степени.

С этой точки зрения психотерапия К. Г. Юнга представляет собой нечто большее, чем аналитический метод, существующий наряду с другими методами несмотря на то, что его создатель хотя и с уважением, но критически относился к научным предпосылкам. Иоланда Якоби в своем остроумном введении в юнговскую теорию наглядно показывает, в какой мере психотерапия Юнга в действительности представляет собой «путь к спасению». При этом она вновь указывает на элемент опыта. Исцеление души не поддается удовлетворительному описанию. Оно включает в себя в качестве существенных факторов жизненно важные обстоятельства, личное переживание и преодоление. Поэтому Иоланда Якоби пишет, что психотерапия Юнга «является «путем к спасению» в двояком смысле этого слова. Она обладает всеми предпосылками, чтобы излечить человека от его психических и связанных с ними психогенных заболеваний. Она располагает всеми средствами, чтобы устранить самое незначительное психическое нарушение, которое может послужить источником невроза, а также успешно бороться с самым тяжелым и чреватым осложнениями развитием болезни. Но наряду с этим она знает путь и обладает средствами для того, чтобы вести отдельного человека к его «спасению», к тому осознанию и совершенству собственной личности, которые с давних пор были целью всех духовных устремлений. По своей сути этот путь не поддается абстрактным толкованиям, и с помощью теоретических построений и объяснений можно лишь до известной степени разобраться в учении Юнга. Как на любое «событие», которое способно изменить человека, на него можно лишь указать. Но чтобы понять его целиком, необходимо на себе испытать его живое воздействие».[169]

Не будет противоречием по отношению к Юнгу и его творчеству сказать, что характер средств и путей его психотерапии остается открытым для того, что пока еще не существует, для того, что приносит судьба, в конце концов, для того, что, говоря религиозным языком, относится к сфере благодати. Здесь исцеление и спасение соприкасаются.

Проблемы современности

К. Г. Юнг не ограничивался лишь освещением психических проблем отдельного человека и использованием с этой целью «амплификации» содержания архаических образов, его взгляд всегда был направлен на совокупность психологических феноменов. В такой же мере его как врача занимали текущие события и судьбы народов. И поскольку он стремился к целостности, или к становлению целостной психики, то биологические, социально-политические и актуальные духовные факторы всего происходящего не могли быть ему безразличны. *Такая в высшей степени сложная временнáя ситуация, как наша, с ее разгоревшимися политическими страстями, государственными переворотами, граничащими с хаосом, мировоззрением, потрясенным в своих осно-*

Со своей женой и миссис Кроули, около 1936

вах, имеет столь громадное влияние на психическую жизнь отдельного человека, что врач не может не уделять особого внимания воздействию обстоятельств, присущих данному времени, на душу индивидуума. Не только извне в большом мире, но и в тиши кабинета и в замкнутом пространстве врачебной консультации на него со всех сторон обрушиваются события, характерные для нашего времени. Поэтому психотерапевту не следует замыкаться в своей научной деятельности или даже впадать в чуждый современности и враждебный действительности мистицизм; напротив, *он должен постоянно спускаться на арену текущих событий, чтобы там принимать участие в борьбе страстей и мнений* [170].

Эти строки открывают небольшой том *Статей по истории нашего времени*, вышедших в 1946 году. Речь идет о трех работах времен национал-социализма и о статье, написанной вскоре после завершения второй мировой войны. Эти статьи, в частности, очень интересны тем, что в них присутствует личная оценка Юнгом его отношения к национал-социализму и тем самым косвенно к национал-социалистскому антисемитизму, что стало просто необходимым после распространившегося слуха о том, что Юнг, который когда-то как «ариец» расстался с «евреем» Фрейдом, якобы питал некоторую симпатию к властителям Третьего рейха и проявлял антипатию к евреям. В самом деле, Юнг высказывал и публиковал некоторые сомнительные вещи, которые биограф не может обойти молчанием, однако нацистом и антисемитом Юнг никогда не был. Фактом является также все то, что следует из собранных в упомянутом томе работ, написанных непосредственно по следам событий.

В феврале 1933-го, следовательно через несколько дней после прихода Гитлера к власти 30 января 1933 года, Юнг выступает в Кёльне и Эссене с докладами, в которых он недвусмысленным образом дает понять, какой представляется ему ситуация, вызванная политическими событиями в Германии. В этой связи он говорит о *компенсаторном возврате к коллективному человеку.* Этот возврат явился неизбежным следствием исключительно индивидуалистической тенденции. *Коллективный человек угрожает удушить индивидуума, на чувстве ответственности которого, в конце концов, основано все творение рук человеческих. Масса как таковая всегда анонимна и безответственна. Так называемые вожди относятся к неизбежным симптомам массового движения. Истинными вождями человечества всегда являются те, кто ориентируется на самого себя и облегчает тяжесть давления масс по крайней мере за счет своего собственного веса, сознательно держась в стороне от слепых природных законов движущейся массы.*[171]

Этот недвусмысленный скептицизм по отношению к национал-социалистским вождям и их беспощадное разоблачение не требуют дальнейших комментариев. Тот, кто жил и страдал в это время, знает, что означают эти слова.

В 1936 году в «Neuen Schweizer Rundschau» из-под пера Юнга вышла статья *Вотан.* Автор видел в этом древнегерманском божестве войны и экстаза *возбудителя страстей и боевого задора и к тому же могущественного волшебника и иллюзиониста*[172]. Юнг трактует его как архетип, *который как автономно действующий фактор вызывает коллективные воздействия и тем самым проецирует свой собственный образ*[173]. Юнг наблюдал за тем, как национальное божество, и не только в Германии, угрожающе атаковало христианство и как отдельный индивидуум оказывался не в состоянии противостоять натиску «Вотана». С этой точки зрения заслуживает внимания следующее замечание 1936 года: *Мы, стоящие в стороне, слишком осуждаем современных немцев как несущих ответственность за свои действия; возможно, было бы правильнее рассматривать их также по меньшей мере как потерпевших.*[174]

Эти слова ни в коем случае не следует считать оправданием, так как когда в 1945 году Юнг с тяжелым сердцем в том же журнале решается опубликовать работу *После катастрофы*, то он не только диагностирует своего рода коллективную истерию, охватившую Германию, немцев и даже всю Европу, но говорит и о психологической коллективной вине немцев, европейцев и христианской церкви[175].

Сейчас при чтении записей, появившихся в годы, когда гитлеровский режим еще только стремился достигнуть вершин своего могущества, вряд ли можно отрицать, что выводам Юнга присуща почти пророческая прозорливость. В них говорится, что *национал-социализм — это еще далеко не последнее слово и в последующие годы* (то есть после 1936) *или десятилетия можно ожидать иных серьезных вещей, о которых мы, однако, пока вряд ли можем составить себе представление. Пробуждение Вотана — это регресс и шаг назад. Благодаря запруде река снова вернулась в свое прежнее русло. Но вечно подъем воды продолжаться не может...*[176]

В связи с тем, что Юнг во времена Третьего Рейха все же говорил двусмысленные вещи и совершал сомнительные шаги, что, например, побудило Эрнста Блоха обругать швейцарского психолога «фашиствующим в экстазе психоаналитиком» («Принцип надежды», Франкфурт-на-Майне, 1959, с. 65),— для Аниэлы Яффе возникла необходимость вновь взяться за перо. В ее книге «Из жизни и мастерской К. Г. Юнга» (она вышла после окончания работы над рукописью данной монографии) эти факты и обстоятельства излагаются с

С сыном и внуками около Цюрихского верхнего озера, около 1950

подкупающей искренностью. Так, А. Яффе показывает, что одним из первых распоряжений, сделанных Юнгом в качестве президента «Всеобщего врачебного общества психотерапии», было предписание в пользу его еврейских коллег в Германии. «Однако его активное заступничество за евреев не помешало ему как психологу публично подчеркивать различие между еврейской и нееврейской психологией». Сюда же следует добавить ошибочные и шокирующие высказывания о еврействе и еврейской сущности. Ученица и биограф Юнга стремится ничего не приукрашивать, когда продолжает: «Тот факт, что Юнг выступил с этим перед общественностью в момент, когда быть евреем означало быть в смертельной опасности, и что он включил в научную программу Международного общества вопрос о психологических расовых различиях, должен рассматриваться как серьезная ошибка». После того

как стала известна страшная закулисная сторона национал-социалистского режима, корни которого опытный психоаналитик, судя по приведенным выше цитатам, очевидно, понял значительно раньше, Юнг подверг беспощадной критике свою двойственную позицию. Аниэла Яффе, ссылаясь на письмо иерусалимского профессора Гершона Г. Шолема, из которого следует, что между Лео Бэком и Карлом Густавом Юнгом состоялось примирение, приходит к заключению: «Ретроспективно в его (Юнга) картину жизни и творчества укладываются, не умаляя его величия, и его тогдашние ошибки и заблуждения. Пользуясь терминами юнговской психологии, можно было бы говорить о манифестации его тени, которая как архетип имеется у каждого человека и часто является тем более темной, чем более яркий свет исходит от личности. Юнг слишком много дал миру и людям, чтобы его тень могла поставить под сомнение его духовное значение и его человеческое величие».[176а]

Напомним еще о двух примерах, свидетельствующих об активном интересе Юнга к проблемам современности: о его ответе на вопрос об очень спорном феномене «летающих тарелок» и о его *Ответе Иову*, в котором психоаналитик высказывается о принятом в 1950 году догмате, связанном с вознесением девы Марии.

«НЛО» (неопознанные летающие объекты), как называют «летающие тарелки», глубоко взволновали воображение многих современников Юнга и не в последнюю очередь — авторов научной фантастики. Наряду с серьезными исследованиями по данной проблеме мир наводнил поток публикаций, едва ли заслуживающих серьезного обсуждения. Поэтому

Боллинген, около 1955

внимание общественности сразу привлекла книга К. Г. Юнга *Современный миф. О вещах, которые были видны на небе*, с которой он в 1958 году вступил в дискуссию. Эта работа показывает, с каким вниманием Юнг исследовал эти явления и как тщательно проработал всю специальную литературу.

Лежит ли в основе НЛО какая-то реальность или речь идет лишь об обмане чувств? Юнг отвечает на это, что существует связь между НЛО и скрытыми психическими содержаниями. Предположения о незнакомых метеорических явлениях он считает невероятными, *так как поведение объектов ни в коем случае не создает впечатления о процессе, который можно объяснить физическими причинами. Движения объектов свидетельствуют о преднамеренности и связях с психикой, например, отклонение от курса и бегство, агрессия или защита.* По его мнению, ускорение, дирекционный угол, а также повышение температуры таковы, что ни одно земное существо не смогло бы этого выдержать.

Все же происходящее здесь явно представляет собой для Юнга реальность, даже если он как психолог ограничивается констатацией связи между НЛО и психикой, объясняя феномен «летающих тарелок» коллективными видениями или таинственными слухами, символическое значение коих он интерпретирует. Его заключение гласит: *Речь идет здесь о немаловажном факте, а именно: либо психические проекции вызывают радиолокационный отраженный сигнал* (это установлено в отношении НЛО), *либо, напротив, появление реальных объектов является причиной мифологических проекций* [177]. Но и это еще не все. Далее Юнг еще более конкретизирует значение этих явлений, приписывая НЛО апокалипсический характер: *Не самонадеянность, а моя врачебная совесть побуждает меня исполнить свой долг и подготовить тех немногих, которые смогут услышать меня, к событиям, ожидающим человечество и соответствующим концу зона... Это, как кажется, изменения в конфигурации психических доминант, архетипов, «богов», вызывающих или сопровождающих преобразования в обыденной человеческой психике... Я, откровенно говоря, беспокоюсь о судьбе тех, кто неподготовленным будет застигнут событиями и, ничего не подозревая, подвергнется их непостижимому воздействию.*

Юнг не оставляет сомнений в том, как опасна мировая ситуация. При этом речь идет как о состоянии души индивидуума, так и о положении в целом. Как бы ни относиться к некоторым частностям из высказываний Юнга (книга вызвала бурные дискуссии), одно несомненно: *Современный миф* дает пищу для размышлений. Христианский теолог, прочитав эту работу, скорее всего ощутит побуждение заново осмыслить те ошеломляющие, часто очень труднодоступные эсхатологические главы из Нового Завета, в которых содержится откровение о будущих событиях и о пришествии Христа.

Древние эзотерические учения и современные духовные исследования, такие как работы Рудольфа Штайнера, проливают свет на сообщения Юнга. В конце концов, Юнг как знаток эзотерической астрологии знает: *Сейчас мы стоим на пороге огромных изменений, которые ожидаются с вступлением точки весеннего равноденствия в Аквариус* (знак Водолея). Тем самым затрагивается проблема переворота в мировом масштабе, по отношению к которому, например, феномены внешней истории могут рассматриваться как симптомы за кулисами активной деятельности, сущность, обстоятельства и направленность которой должны быть познаны.

Позиция иного рода по отношению к событиям современной истории отражена в *Ответе Иову* (1952). Здесь психолог освещает проблемы, которые, как кажется, входят в сферу

Ремесленник Юнг. Боллинген, около 1955

компетенции теологов, если не принадлежат специальной
области гностиков или мистиков. (Из сказанного выше само
собой разумеется, что и здесь Юнг не вышел за пределы своей компетенции.) Эту книгу можно отнести к самым личным

и самым страстным из написанных Юнгом. Он описывает, как измученный судьбой, а точнее гневом Яхве, осыпанный упреками со стороны своих друзей Иов приходит к осознанию *внутренней антиномичности* Бога, то есть двойственности божественной природы, которая постоянно занимает Юнга. Добро и зло, любовь и ненависть, божественное и сатанинское видит Юнг соединенными в Яхве. Эта *божественная тьма* раскрывается, по мнению психолога, в ветхозаветном повествовании об Иове. И поэтому-то оно и становится вехой *на долгом пути развития божественной драмы...*[178] *Иов познает внутреннюю антиномичность Бога, и тем самым свет его познания сам достигает божественной нуминозности.*[179] Полный мучений и горестей процесс познания, пройденный Иовом, ставит страдальца и *морально выше Яхве. Творение в этом отношении превзошло творца... Яхве должен стать человеком, так как совершил несправедливость по отношению к нему... Поскольку его творение превзошло его самого, он должен обновиться.*[180]

Не требуется никаких специальных указаний на то, что Юнг этими размышлениями самым экстремальным образом отдаляется от канонизированной церковной догмы. Внимательный читатель не пройдет и мимо тех мест в книге, где настолько же откровенный, насколько и ангажированный автор осыпает упреками Бога Ветхого Завета и Откровение Иоанна из Нового Завета,— упреками, граничащими с цинизмом и кощунством, хотя контекст, в свою очередь, опровергает это подозрение. Каковы же цель и замысел *Ответа Иову?* В первую очередь Юнг хочет осознать религиозную проблему Иова: *Целью моей книги является освещение исторического развития этой проблемы со времени Иова и в течение столетий до новейших символических событий.* Проблема напряжения противоположностей, присущих

Дева как персонификация звездного неба
Из книги «Speculum humanae Salvationis»
15 век, Рим, Ватикан

Богу, занимала Юнга многие годы. Он признается: *Я был захвачен неотложностью и значением проблемы и не мог от этого освободиться. Так я ощутил необходимость взяться за проблему, и я это сделал, описав личный опыт с сопутствующими субъективными эмоциями. Я намеренно выбрал эту форму, потому что хотел избежать впечатления, как будто я собирался провозглашать «вечную*

истину». Книга должна быть не чем иным, как вопроша-
ющим голосом одиночки, который надеется или стремит-
ся удовлетворить запросы своих читателей.[181]

Юнг, без сомнения, удовлетворяет этим запросам, правда, он сталкивается также и с противоречием, а именно в том месте книги, где пишет о последней догматизации Марии римско-католической церковью (Assumptio Mariae *). Тем самым для Юнга приобретают актуальность первобытные религиозные представления о женском элементе в божестве, обозначаемом в иудейско-христианской сфере как «София» или как «Мудрость Бога». Религии древности знали мистерию небесной свадьбы (Hieros Gamos), объединение божественного мужского с божественным женским началом, представляемое в образе гермафродита или андрогена. (О религиозных и духовно-исторических проблемах идеи об андрогене см.: Gerhard Wehr: «Der Urmensch und der Mensch der Zukunft», Freiburg i. B. 1964).

Будучи сыном протестантского священника, Юнг тем яснее ощущает результаты духовно-исторического процесса вытеснения, в ходе которого прежде всего внутри евангелистской теологии и церкви элемент Софии был официально отвергнут. Лишь немногие «аутсайдеры» смогли как мистики и теософы (в прежнем смысле слова) интегрировать эту «тайную мудрость» (Вальтер Нигг). Послереформаторский мистик Якоб Бёме, который в этом отношении оказал большое влияние на многих, говорит о божественной Софии: «До создания неба и земли она была девой, и к тому же совсем непорочной, без единого изъяна. И эта чистая, благонравная дева Бога вошла в Марию в своем человеческом воплощении и была ее новым человеком в святом элементе Бога».

---

* Вознесение Марии (*лат.*).— *Прим. перев.*

Артифекс в роли священника. Слева: Земля, кормящая Меркурия Титульное изображение к «Melchioris Cibinensis Ungari Symbolum» в книге М. Mayer «Symbola Aureae Mensae» (Франкфурт 1617)

В римско-католической церкви последние сто лет причисляются к «марианскому столетию». В 1950 году марианское столетие достигло своей кульминационной точки, когда 1 ноября этого года у входа в собор Святого Петра в Риме под аплодисменты полумиллиона верующих папа Пий XII провозгласил догму о плотском вознесении Марии.

Юнг усматривает в этом тезисе необыкновенно важный знак времени. *Эта догма во всех отношениях соответствует духу времени* [182], потому что в ней выражается ветхозаветное предвидение будущего рождения Бога девственницей и новозаветные видения будущего Иоанном в Апокалипсисе. В этой связи психолог указывает на параллель, существующую между библейским образом будущей «свадьбы агнца» и классическим выражением достижения человеком целостности в процессе индивидуации. Соответствующая потребность человеческой психики в обретении целостности симптоматически проявляется в учащающихся явлениях Марии в последние десятилетия. *Религиозная необходимость требует целостности и охватывает поэтому предоставленные бессознательным образы целостности, которые, независимо от сознания, поднимаются из глубин душевной природы.*[183] С этих позиций догма не может быть удовлетворительно рассмотрена при помощи историко-критических аргументов. С другой стороны, об этом, согласно Юнгу, *важнейшем религиозном событии со времен Реформации можно сказать, что метод доказательства папы чрезвычайно убедителен с психологической точки зрения, так как он опирается, во-первых, на необходимые первичные фигурации и, во-вторых, на более чем тысячелетнюю устную традицию. Доказательств наличия психического феномена, следовательно, более чем достаточно.* И на возражение, что с новой догмой утверждается физически невозможный и исторически недоказуемый факт, он отвечает: *Все религиозные утверждения являются физически невозможными. Если бы они таковыми не были, то их должны были бы изучать... естественные науки. Но они относятся к действительности души, а не физики.*[184]

Не говоря о том, приветствует ли церковный догматик не требующееся согласие психолога или нет, необходимо принять во внимание критику Юнгом патриархально ориентированного протестантского мышления, а именно в связи с его взглядом на человека как на индивидуальность, которую он ставит выше родовой дифференциации. Юнг добавляет: *Протестантизм явно недостаточно принимал во внимание знаки времени, указывающие на равноправие женщины. Равноправие требует своего метафизического закрепления в образе «божественной» женщины, невесты Христа. Как нельзя заменить фигуру Христа какой-либо организацией* (Юнг намекает здесь на противоположность «святого духа», который в древности считался женственным началом, и организованного института церкви, регламентирующего энтузиазм верующих), *так и невесту — церковью. Женское начало требует такого же личного представительства, как и мужское...*[185]

Едва ли можно не заметить вызова, содержащегося в этих словах, и это касается всей книги *Ответ Иову*. Сюда относится и вопрос о соответствующем духу времени обновлении образа человека, так же как и о приобретении собственного понимания духовного измерения христианской традиции в настоящем. Вопрос поставлен. Юнг всегда сознавал, что он должен предоставить другим прорабатывать затронутые им проблемы. Так, в письме своей ученице Иоланде Якоби 24 сентября 1948 года он пишет: *Систематическая обработка моих зачастую лишь набросанных мыслей представляет собой задачу для всех, кто придет после меня, и без этой работы не будет прогресса в аналитической психологии.*[186]

Пространство диалога

Едва ли можно ошибаться в принципиальной установке психологии К. Г. Юнга. Даже если отвлечься от интровертности, которую он убедительно олицетворяет в соответствии со своим психологическим учением о типах, то, наверное, все же бросается в глаза, какое большое значение придает Юнг внутренней жизни, которая должна исследоваться в своем самобытии и самостановлению которой нужно содействовать. В соответствии с этим человеческая психика представляет собой замкнутую в себе целостность, во всяком случае психотерапевтическое лечение ставит своей целью это становление целостности. Однако на платформе сокровенной сущности не только разыгрываются важнейшие моменты жизненной драмы,— человек может непосредственно вступать в контакт с заложенной в нем внутрипсихической комплексностью и тотальностью. Этим, согласно Гансу Трюбу, задана «решительно интроспективная целевая установка», которая хотя и не отрицает необходимости отношений между людьми, однако явно придает им относительно меньшее значение.

Что при этом имеется в виду, становится ясным при сравнении сущности творчества К. Г. Юнга с творчеством еврейского религиозного философа и социального мыслителя Мартина Бубера *, у которого пространство диалога между людьми играет решающую роль. Если у Юнга все сводится к общему знаменателю «опыта», к тому, что нужно исследовать, исцелить, к «Оно», то дело всей жизни Мартина Бубера, по крайней мере в его зрелых произведениях, ознаменовано «отношением», отношением между «Я и Ты». Оба мыслителя выражают принципиальные установки, каждая из которых эквивалентна акцентированию одной из сторон. Позиции Юнга и Бубера можно было бы сравнить также с обоими главными фокусами эллипса. Сам Бубер отличает «отношение между Я и Ты» от «опыта Я и Оно».

Считали ли они возможным взаимодополнение позиций? Все же между Бубером и Юнгом состоялся обмен мнениями, даже если он и не мог быть доведен до конца. Тем большее значение имеет тот факт, что некоторые ученики Юнга ока-

* Ср. Gerhard Wehr: «Martin Buber». Reinbek 1968 (=rowohlts monographien.147).

зались восприимчивыми к устремлениям Бубера и — вначале для себя — определили пути синтеза. Один из них — Ганс Трюб — в своем труде «Исцеление через встречу» показал, в какой степени он обязан обоим, психологу Юнгу и диалогическому мыслителю Буберу. Трюб подчеркивает, что одного лишь психологического обогащения, которое испытывает ищущее Я при своем проникновении в бессознательную душевную сферу, недостаточно; непосредственные контакты («глаза в глаза») как выражение партнерской конфронтации также необходимы. Правда, Трюб, так же как и ученик Юнга и Бубера Арие Зборовиц («Отношение и предназначение»), не упускает из виду, что Юнг в отличие от Зигмунда Фрейда уже сделал важный шаг в направлении, которое имеет в виду Бубер. Последнее обстоятельство нашло выражение и в методе лечения, направленном на пациента как на конкретного партнера. Ганс Трюб делает вывод: «Уже сейчас становится ясно, что будущий психотерапевт не должен больше концентрировать свой научный и терапевтический интерес исключительно на сложных внутренних душевных процессах, как это делали наши первооткрыватели из добрых побуждений и достойным подражания образом. Ибо мы переживаем и познаем сегодня «действительность души» не только как замкнутую в себе собственную сферу индивидуума; наряду с этим чем дальше, тем убедительней она раскрывается перед нами как межчеловеческий феномен, проживаемый в жизненном пространстве партнерства. Лишь здесь, в конкретных ситуациях, когда происходят встречи с миром как мирозданием и историей, человеческая душа раскрывается перед нами в своей истинной экзистенциальной чистоте, предстает перед нами из своей таинственной сердцевины».[187]

Это замечание, однако, с полным основанием могло бы быть сделано и К. Г. Юнгом применительно к односторонне

В разговоре с Иоландой Якоби, около 1948

персоналистской ситуации, так как за необходимостью отношений между Я и Ты нельзя забывать также об обязанности осознания внутренней психической реальности. В то время как Мартин Бубер утверждает, например в книге «Божья тьма» (1952/53), что умеет ради провозглашенной им «реальности веры» различать «умственные истины» философов, потому что верующий не должен делать «безусловное бытие» предметом поисков опыта, Юнг как исследователь, для которого *единственным методом познания является опыт*, в своем ответе Буберу (напечатанном в приложении к одиннадцатому тому *Собрания сочинений*) еще раз подчеркивает: *«Действительность души»* — это моя рабочая гипотеза, и *моя основная деятельность состоит в том, чтобы собирать, описывать и объяснять фактический материал. Я не создал ни системы, ни общей теории, но лишь сформулировал вспомогательные понятия, которые служат мне инструментом, как это принято во всех естественных науках...[188] Если я придерживаюсь взгляда, что все свидетельства о Боге берут начало прежде всего в душе, и поэтому их нужно отличать от метафизической сущности, то этим Бог не отрицается, а человек не ставится на место Бога.* В той же связи Юнг признает, что знание, которое дает вера, может быть *намного совершеннее, чем то, которое мы когда-либо могли бы приобрести при помощи нашего изнурительного астматического эмпиризма* [189]. Психолог и психотерапевт остерегается, однако, делать заявления, выходящие за пределы компетенции естествоиспытателя. Юнг слишком хорошо знает, что в сфере веры существуют *пневматические * структуры совершенной красоты и глубочайшего смысла*; одновременно он признается, что у него все же отсутствует харизма веры, необходимая для полного раскрытия пневматического. То, что психолог совершенно трезво обнародовал этот интимный личный факт, делает ему честь. Дискуссия между аналитической психологией и теологией, в которую Юнг может внести важный и ценный вклад, приобретает из-за этого лишь большую ясность и понятийную определенность.

В последние годы жизни Юнг, по-видимому, все яснее признавал важность пространства диалога, сотрудничества

---

* Пневма (*греч.* pneuma — дыхание, дуновение, дух) — жизненная сила, отождествляемая с логосом — первоогнем, космическое «дыхание», дух; в христианстве «святой дух», третье лицо Троицы.— *Прим. перев.*

врача и пациента: *Суть в том, что я отношусь к пациенту, как человек к другому человеку. Психоанализ — это диалог, и для него нужны два партнера. Аналитик и пациент сидят напротив друг друга — глаза в глаза. Врачу есть что сказать, но и пациенту тоже.*[190] И далее: *Как врач я все время должен спрашивать, какую весть мне приносит пациент. Что это значит для меня? Если это для меня ничего не значит, то у меня нет точки приложения своих сил. Лишь если сам врач чувствует себя задетым, он может оказать помощь...*[191]

О том, что диалогическое мышление играет значительную роль в позднем творчестве Юнга, наиболее убедительно свидетельствует книга *Психология трансфера* (1946), в которой находит отражение тот факт, что *истинный человек рождается по сути дела из психического отношения.* Тот, кто прошел путь индивидуации у Юнга, может скорее других подтвердить справедливость следующих слов: *Сознательное достижение внутреннего согласия связано с отношениями между людьми как обязательным условием, так как без осознанных и признанных отношений с окружающими вообще не может быть синтеза личности... Ибо отношение к самости является одновременно отношением к окружающим, и никто не имеет связи со своими ближними, не имея прежде связи с самим собой... Процесс индивидуации включает в себя два принципиальных аспекта: с одной стороны, он есть внутренний, субъективный интеграционный процесс, но, с другой стороны, он является также необходимым, объективным процессом отношения. Одно не может существовать без другого, даже если то одно, то другое больше выходит на передний план...*[192] Какой смысл тогда в замечании, что для Юнга прежде всего имеет значение опыт Я и Оно, в то время как диалогическое измерение отношения между Я и Ты (в смысле Мартина Бубера) играет для него второстепенную роль? В пользу К. Г. Юнга как мыслителя и эмпирика свидетельствует тот факт, что его творчество имеет точки соприкосновения с не менее резко очерченным творчеством такого коммуникативного мыслителя, как Мартин Бубер. Поэтому обе принципиальные позиции должны рассматриваться и оцениваться не как альтернативные, а скорее как комплементарные. Они взаимно дополняют друг друга, даже когда находятся в открытом или мнимом противоречии между собой.

Написанный рукой автора план аннотации к первому изданию «Психологических типов» (1921)

Prof. Dr. C. G. Jung

Küsnacht-Zürich
Seestrasse 228

Psychol. Typen

Gegenstand dieses Buches ist hauptsächlich das Bewusstsein, dessen Orientierungsfunktionen und deren typische Einstellungen. Das hauptsächliche Gegensatzpaar wird dargestellt anhand von Beispielen aus der antiken und mittelalterlichen Geistesgeschichte, der Literaturgeschichte, der Aesthetik und ..., der Philosophie, der Menschenkenntnis, der Biographie und der Psychiatrie. Ein umfangreiches Kapitel ist der Beschreibung der verschiedenen psychologischen Menschentypen gewidmet. Zur Erleichterung des Verständnisses ist dem Ganzen eine alphabetisch geordnete Sammlung von Definitionen der hauptsächlichsten Begriffe beigegeben. Das Unbewusste ist jeweils an jenen Stellen berücksichtigt, wo dessen kompensierende Funktion erwähnt werden musste. Der Zweck des Buches ist die Aufklärung der Hauptursachen für die ... und die verschiedenen psychologischen Voraussetzungen, welche das Verständnis des Andersdenkenden und die Verständigung der Menschen unter sich behindern.

die Extraversion und Introversion

Мартин Бубер

Ответ Карлу Густаву Юнгу

Хотя великим новатором в области современной психологии считается Зигмунд Фрейд, К. Г. Юнг имеет неоспоримые заслуги, поставившие его в первые ряды великих умов XX столетия, а именно открытие и исследование коллективного бессознательного, мира архетипов. Результаты его исследований не только позволяют бросить взгляд в глубины человеческой психики, не только оказывают решающую помощь для понимания форм сознания, не только помогают преодолеть духовную полярность Востока и Запада, пропасть между прошлым и настоящим, но одновременно придают важный импульс развитию ряда других областей познания. Если когда-нибудь Юнгу отдадут должное как выдающейся личности среднеевропейской духовной истории, например в монографических работах (эта важная задача еще предстоит), то наряду с коллегами и учениками, наряду с врачами, психологами, психиатрами или психотерапевтами должны взять слово и представители других дисциплин.

Историки религии и духа, исследователи символов и мифов должны были бы оценить плодотворность работы Юнга и ее важную роль в дальнейшем освоении этих областей. О том, что здесь давно уже состоялся подобный обмен мнени-

1960

ями, свидетельствует сотрудничество с синологом Рихардом Вильгельмом («Золотой цветок»). Юнг написал также комментарии к изданной Эванс-Венцом «Тибетской книге мертвых» (1953) и к «Тибетской книге великого освобождения» (1955). Состоялось тесное литературное сотрудничество с Карлом Кереньи, с которым он издал «Введение в сущность мифологии». «Божественный плут», текст и комментарии мифов индейцев виннебаго, возник с привлечением Кереньи и Пауля Радина. Примечательно, что Кереньи после смерти Юнга назвал первый том своего собственного собрания сочинений «Гуманитарная психология» (Мюнхен, 1966), указывая этим на цель своих усилий в сотрудничестве с Юнгом. В кругу большого интернационального штата сотрудников, которые с 1933 года собирались под руководством Ольги Фрёбе-Кептен на ежегодные конгрессы общества «Эранос» в Асконе, Юнг встречался с заинтересованными собеседниками. Это в несколько другой форме касается также ежегодных конференций объединения «Врач и духовник», итоги которых тщательно фиксировал Вильгельм Биттер. Не говоря уже о рассмотренной в этой связи тематике, которая частично относится к области социальных исследований Юнга, сделанные там доклады были бы немыслимы без новаторской работы ученого. Это касается также и физики. Здесь прежде всего следует назвать нобелевского лауреата В.Паули, с которым Юнг работал над научными и гносеологическими проблемами в области физики и глубинной психологии... Не только на учеников школы Юнга распространяет свое влияние основанный в 1948 году в Цюрихе институт К. Г. Юнга, продолжающий и углубляющий работу ученого, в честь которого назван. Свое литературное выражение эта преемственность находит, помимо прочего, в серии «Исследования института К. Г. Юнга в Цюрихе» (см. библиографию).

Дом Юнга в Кюснахте

С Карлом Кереньи

Дом со стороны озера

Перечень тех, кто вступил в дискуссию с Юнгом, был бы неполным, если бы мы забыли об участии теологов. Правда, диалог между теологией и глубинной психологией — если иметь в виду значение открытий в области глубинной психологии для религиозной жизни — едва начался, но следует сказать, что Юнг умел поднимать проблемы, вызывавшие интерес у евангелистских, католических и православных теологов. Во всяком случае, об этом свидетельствует тот факт, что евангелистский теолог Вальтер Бернет (Г.И.Шульц: «Тенденции теологии в XX веке», Штуттгарт, 1966) причисляет Юнга к тем личностям, которые оказали значительное влияние на христианскую теологию современности. В течение нескольких лет со стороны теологов слышится требование, чтобы открытые Юнгом перспективы использовались теологией более последовательно, чем прежде. Достоин внимания тот факт, что иногда это рекомендуется не только для практической работы священника в качестве духовника, когда необходима квалификация психолога, но и применительно к рефлексии над догматическими высказываниями. Еще в 1946 году в своей прекрасной монографии «Религия и душа в психологии К. Г. Юнга» Ганс Шэр писал: «Теологи занимались результатами Юнга не в той степени, как, собственно говоря, следовало бы ожидать в соответствии с положением вещей».[193] Сегодня готовность к контактам со стороны теологов, по-видимому, все более и более возрастает.

В обмене мнениями с представителями юнгианской психологии должны принять участие и философы. Так, с неко-

торыми основаниями подвергался критике метод амплификации. Он основывается исключительно на заключениях по аналогии (так писал Дитер Висс в работе «Школы глубинной психологии», Геттинген, 1961, с. 414). Вследствие этого полезным было бы гносеологическое освещение, и притом не только для методики К. Г. Юнга и ее предпосылок. Напротив, результаты глубинной психологии со своей стороны ставят серьезные вопросы о пригодности познавательного кругозора современной науки. Здесь не в последнюю очередь речь идет о том, можно ли — и в какой мере — говорить о точном духовном познании, выходящем за рамки традиционных научных понятий. Юнг, правда, сознательно ограничивался попытками исследования психики, однако полученные при этом результаты требуют изучения сверхчувственно-духовного мира, которое бы соответствовало духу времени. Ганс Эрхард Лауэр принадлежит к тем немногим, кто наряду с ученицей Юнга Элис Моравиц-Кадио представил первые работы на эту тему и сделал попытку к сближению между глубинной

Входная дверь

психологией и современным духовным познанием (см. библиографию). Эти первые шаги нуждаются в продолжении и углублении. Школярские и догматические охранительские стремления, которые, как хорошо известно, обычно сопровождают каждое духовное движение, нужно отвергать.

Психология, как едва ли какая-то наука еще, пригодна для того, чтобы выполнять функцию интегрирующей дисциплины, сближающей другие дисциплины между собой. От готовности ее представителей к контактам будет зависеть то, в какой степени она сможет быть посредником между различными мнениями и каким образом специальные результаты исследований в одной области смогут использоваться в других областях познания. Юнг в своих трудах дал массу примеров такого рода. При этом все же нельзя упускать из виду, что он вынужден был защищаться от многочисленных критиков, которым не всегда удавалось понять намерения Юнга. Однажды он пожаловался: *Странно, что мои критики, за немногими исключениями, замалчивают то обстоятельство, что я как врач исхожу из эмпирических фактов, которые каждый может проверить. Зато они критикуют меня так, как если бы я был философом или гностиком, утверждающим, что он обладает сверхъестественным знанием. Как философа и как абстрактно рассуждающего еретика меня, конечно, легко победить. Наверное, по этой причине предпочитают замалчивать открытые мной факты.*[194]

О том, какое влияние оказывал Карл Густав Юнг как личность и какой отклик вызывал во всем мире, свидетельствуют многочисленные почести. К шестидесятилетию со дня его рождения ученики и друзья выпустили юбилейный сборник, в котором высоко оценили «культурное значение комплексной психологии». Из своих знаменитых ежегодников общество «Эранос» посвятило два тома «Исследований в честь К. Г. Юнга» 70- и 75-летию со дня его рождения. Два других солидных юбилейных тома выпустил институт К. Г. Юнга в Цюрихе к восьмидесятилетию со дня рождения психолога. Вместе с многочисленными «Исследованиями института К. Г. Юнга» они показывают, каким образом аналитическая психология способствовала открытию реальности.

Карл Густав Юнг был членом многочисленных научных обществ в Швейцарии и во всем мире. Королевское общество медицины в Лондоне выбрало его своим почетным членом. Следующие высшие учебные заведения наградили его титулом почетного доктора: Clark University, Worcester (США), Fordham University в Нью-Йорке, Гарвардский университет, Hindu University в Бенаресе, Аллахабадский университет, Калькуттский университет, Оксфордский университет, Женевский университет, Техническая высшая школа в Цюрихе.

О том, кто был удостоен всех этих почестей и чествований, кратко и точно говорится в удостоверении о присвоении ему степени почетного доктора наук Технической высшей школы в Цюрихе:

Первооткрывателю целостности и полярности
человеческой психики и ее тенденции к единству,
диагносту кризисных явлений
душевной жизни в эпоху науки и техники,
интерпретатору первичной символики
и процесса индивидуации человечества.[195]

Примечания

(Указание *Werke* означает немецкое издание сочинений
К. Г. Юнга: *Gesammelte Werke*. Zürich, 1958)

1. Цит. по Georg Gerster:
   «Eine Stunde mit...».
   Frankfurt a. M., 1956.
   S. 18.
2. *Erinnerungen, Träume,
   Gedanken.* Zürich-
   Stuttgart, 1963. S. 11.
3. Там же, S. 404.
4. Там же, S. 13.
5. Там же, S. 11.
6. Там же, S. 18 и далее.
7. Там же, S. 21.
8. Там же, S. 51.
9. Там же, S. 54.
10. Там же, S. 68.
11. Там же, S. 47.
12. Там же, S. 51.
13. Там же, S. 31.
14. Там же, S. 73 и далее.
15. Там же, S. 75.
16. Там же, S. 77.
17. Там же, S. 78.
18. Там же, S. 80.
19. Там же, S. 102.
20. Там же, S. 106. Как я
    узнал от известного па-
    рапсихолога д-ра Герды
    Вальтер (в декабре 1968),
    лекции швабского теоло-
    га Иог. Кристофа Блум-
    хардта (1805 —1880) о
    его впечатлениях в Мёт-
    тлингене надолго увлек-
    ли студента К. Г. Юнга.
21. Там же, S. 114.
22. E. A. Bennett:
    «C. G. Jung. Einblicke in
    Leben und Werk». Zürich,
    1963. S. 178.
23. *Erinnerungen...* S. 150.
24. *Über die Psychologie der
    Dementia praecox.* Halle,
    1907. S. 3-4.
25. *Werke.* Bd.7, S. 10.
26. *Erinnerungen...* S. 154.
27. Там же.
28. Там же, S. 153 и далее.
29. Там же, S. 155.
30. Там же.
31. Там же, S. 159.
32. Там же.
33. Там же, S. 162.
34. Там же, S. 171.
35. Там же.
36. Там же.
37. Там же, S. 151.
38. Там же, S. 172.
39. Предисловие к книге:
    Jolande Jacobi: «Die Psy-
    chologie von C. G. Jung».
    Zürich, 1945. S. 18. Это
    важное для самопозна-
    ния Юнга введение
    1939 года открывает
    также пятое издание
    1967 года!
40. *Werke.* Bd. 11, S. 660.
41. Там же, S. 658.
42. *Wirklichkeit der Seele.*
    Zürich, 1939. S. 24.

43. *Erinnerungen...* S. 354.
44. *Werke.* Bd. 8, S. 215 и далее.
45. Там же, S. 4.
46. Там же, S. 17.
47. *Von den Wurzeln des Bewußtseins*. Zürich, 1954. S. 4.
48. Там же, S. 6, далее S. 577.
49. *Symbolik des Geistes.* Zürich, 1953. S. 374.
50. *Werke.* Bd. 6, S. 512 и далее.
51. *Werke.* Bd. 7, S. 191.
52. *Von den Wurzeln des Bewußtseins*, там же, S. 591.
53. *Werke.* Bd. 6, S. 477.
54. *Von den Wurzeln des Bewußtseins*, там же, S. 53 и далее.
55. Jacobi, указ. соч., S. 149.
56. *Erinnerungen...* S. 258.
57. *Werke.* Bd. 11, S. 214.
58. *Werke.* Bd. 8, S. 60.
59. *Werke.* Bd. 11, S. 185.
60. Riwkah Schärf in: *Symbolik des Geistes*, там же, S. 153 —319.
61. *Werke.* Bd. 11, S. 49.
62. *Erinnerungen...* S. 290.
63. *Werke.* Bd. 7, S. 211 и далее.
64. Там же, S. 211 и далее.
65. *Erinnerungen...* S. 196.
66. *Werke.* Bd. 6, S. 11.
67. *Werke.* Bd. 7, S. 47.
68. Ср. *Erinnerungen...* S. 225, 237.
69. *Werke.* Bd. 6, S. 470 и далее.
70. Там же, S. 524.
71. Там же, S. 501 и далее.
72. Там же, S. 438.
73. Там же, S. 439 и далее.
74. *Erinnerungen...* S. 211.
75. *Werke.* Bd. 7, S. 44.
76. Там же, S. 46.
77. Цит. по: Bennet, указ. соч., S. 82.
78. *Werke.* Bd. 16, S. 3 и далее.
79. *Erinnerungen...* S. 67.
80. Там же, S. 80.
81. *Werke.* Bd. 11, S. 3.
82. Там же, S. 1.
83. Hans Schär: «Religion und Seele in der Psychologie von C. G. Jung». Zürich, 1946. S. 13.
84. Wilhelm Bitter (Hg): «Psychotherapie und religiöse Erfahrung». Stuttgart, 1965. S. 79.
85. *Werke.* Bd.11, S. 4.
86. *Psychologie und Alchemie.* Zürich, 1952. S. 21.
87. Там же, S. 22.
88. Там же, S. 23.
89. Там же.
90. Там же.
91. *Von den Wurzeln des Bewußtseins,* S. 72.
92. *Werke.* Bd. 11, S. 63.
93. Там же, S. 64.
94. *Psychologie und Alchemie,* S. 19 и далее.
95. Там же, S. 24.
96. Там же.
97. Там же, S. 33.
98. *Aion.* Zürich, 1951. S. 281.
99. *Werke.* Bd. 8, S. 313 и далее.

100. *Werke.* Bd. 11, S. 473 и
     далее.
101. *Symbolik des Geistes,*
     S.381, 384.
102. Schär, указ. соч., S. 273.
103. *Erinnerungen...* S. 204.
104. Об этом в т. ч. Gerhard
     Wehr: «Auf den Spuren
     urchristlicher Ketzer».
     Bd. 1/11. Freiburg i. B,
     1965 —1967.
105. *Erinnerungen...* S. 204.
106. Там же, S. 204 и далее.
107. Там же, S. 208.
108. *Das Geheimnis der
     Goldenen Blüte.* Zürich,
     1965. S. 53.
109. *Erinnerungen...* S. 213.
110. *Psychologie und Alchemie,*
     S. 148.
111. Там же, S. 316.
112. Там же, S. 339.
113. *Erinnerungen...* S. 209.
114. Rudolf Steiner: «Westliche
     und östliche
     Weltgegensätzlichkeit».
     Stuttgart, 1961. S. 91.
115. *Werke.* Bd. 11, S. 531.
116. *Das Geheimnis der
     Goldenen Blüte,* S. 8.
117. Там же, S. 8 и далее.
118. Там же, S. 12.
119. Там же, S. 17.
120. Там же.
121. *Werke.* Bd. 11, S. 574.
122. Там же, S. 576.
123. Там же, S. 575.
124. Там же, S. 576.
125. Там же, S. 580.
126. Там же.
127. Там же, S. 576 и далее.
128. Там же, S. 577.
129. *Erinnerungen...* S. 250.
130. Там же, S. 258.
131. Там же, S. 278.
132. *Werke.* Bd. 11, S. 623.
133. Там же.
134. *Erinnerungen...* S. 279.
135. Там же, S. 278 и далее.
136. Там же, S. 278.
137. Там же, S. 286.
138. *Das Geheimnis der
     Goldenen Blüte,* S. 13.
139. Там же, S. 14.
140. *Werke.* Bd. 8, S. 576 и да-
     лее.
141. Там же, S. 577.
142. *Werke.* Bd. 16, S. 9.
143. Там же, S. 30 и далее.
144. Там же, S. 38.
145. Там же, S. 1.
146. Там же, S. 6.
147. *Erinnerungen...* S. 138.
148. Там же, S. 136 и далее.
149. *Werke.* Bd. 16, S. 111.
150. Там же, S. 115.
151. Там же, S. 87.
152. Там же, S. 24.
153. Там же, S. 33.
154. Там же.
155. S. Freud: «Abris der Psy-
     .choanalyse». Frankfurt
     a. M., 1953. S. 31.
156. *Werke.* Bd. 11, S. 27.
157. *Seelenprobleme der Gegen-
     wart.* Zürich, 1931. S. 98.
158. *Werke.* Bd. 11, S. 27.
159. *Werke.* Bd. 8, S. 271.
160. *Werke.* Bd. 11, S. 27.
161. *Werke.* Bd. 7, S. 109.
162. *Werke.* Bd. 8, S. 277.
163. *Werke.* Bd. 6, S. 516.

164. *Werke*. Bd. 8, S. 274.
165. Там же, S. 285.
166. Там же, S. 303.
167. Там же, S. 304.
168. *Werke*. Bd. 11, S. 335.
169. Jacobi, указ. соч., S. 110 и далее.
170. *Aufsätze zur Zeitgeschichte*. Zürich, 1946. S. 7.
171. Цит. по:*Aufsätze zur Zeitgeschichte*, S. 122.
172. Там же, S. 6.
173. Там же, S. 15.
174. Там же, S. 22 и далее.
175. Там же, S. 73 и далее.
176. Там же, S. 23.
176a. Aniela Jaffé: «Aus Leben und Werkstatt von C. G. Jung». Zürich, 1968. S. 85 —104.
177. *Ein moderner Mythus*. Zürich, 1964. S. 105.
178. *Werke*. Bd. 11, S. 393.
179. Там же, S.404.
180. Там же, S. 434 и далее.
181. Там же, S. 506.
182. Там же, S. 492.
183. Там же, S. 503.
184. Там же, S. 498.
185. Там же.
186. Цит. по: Jolande Jacobi: «Der Weg zur Individuation». Zürich, 1965. S. 7.
187. Hans Trüb: «Heilung aus der Begegnung». Stuttgart, 1962. S. 15 и далее.
188. *Werke*. Bd. 11, S. 660.
189. Там же, S. 663.
190. *Erinnerungen...* S. 137.
191. Там же, S. 139.
192. *Werke*. Bd. 16, S. 247 и далее, ср. также *Mysterium Coniunctionis*.
193. Schär, указ. соч., S. 10.
194. *Werke*. Bd. 11, S. 335.
195. Цит. по: *Zum 85. Geburtstag...* Zürich, 1960. S. 3.— Ср. подробное изложение в кн.: Gerhard Wehr: «Carl Gustav Jung». München, 1985.

Основные даты жизни и творчества

1875	Родился 26 июля в Кессвиле, кантон Тургау, в семье протестантского священника Иоганна Пауля Ахиллеса Юнга (1842 —1896) и его жены Эмилии Прайсверк (1848 —1923).
1876	Семья переезжает в приход замка Лауфен у Рейнского водопада под Шаффхаузеном.
1879	Переезд в Кляйн-Хюнинген под Базелем.
1884	Рождение сестры Гертруды (ум. 1935).
1886	Юнг учится в Базельской гимназии.
1895 —1900	Занятия естественными науками, затем медициной в Базельском университете; государственные экзамены.
1895 —1899	Спиритические сеансы с одаренным медиумом кузиной Хеленой Прайсверк.
1900	Решение специализироваться в области психиатрии; с декабря — ассистент в психиатрической клинике «Бургхёльцли» в Цюрихе, под руководством проф. Ойгена Блойлера. Допущен к врачебной практике во всех швейцарских кантонах.
1902	Медицинская диссертация *К психологии и патологии так называемых оккультных феноменов*. 17 июля: Защита диссертации и присуждение степени доктора медицины.
1902/03	Зимний семестр у Пьера Жане в Париже.
1903	14 февраля: Женитьба на Эмме Раушенбах из Шаффхаузена; пятеро детей (Агата, 1904; Грета, 1906; Франц, 1908; Марианна, 1910; Хелена, 1914).

1903—1905	Врач-ассистент в клинике «Бургхёльцли»; экспериментальные работы, в том числе *Диагностические ассоциативные исследования*; открытие эмоционального комплекса.
1905—1909	Старший врач в клинике «Бургхёльцли».
1905—1913	Приват-доцент на медицинском факультете Цюрихского университета.
1906	Публичное выступление в защиту психоанализа Зигмунда Фрейда. Начало переписки с Фрейдом.
1907	февраль: Первая встреча с Фрейдом в Вене. *О психологии Dementia praecox* (шизофрения).
1909	Уход из клиники из-за натянутых отношений с О. Блойлером и из-за чрезмерной нагрузки; начало частной практики в новом доме в Кюснахте под Цюрихом (в настоящее время: Seestraße, 228). Сентябрь: Чтение лекций вместе с Фрейдом и Ференци в Clark University в Ворчестере (Массачусетс); звание почетного доктора. *Диагностические ассоциативные исследования* (издание книги).
1910	март: Основание на Нюрнбергском конгрессе психоаналитиков Международного психоаналитического общества с Юнгом в качестве президента (до 1914).
1912	*Либидо. Его метаморфозы и символы.* Сентябрь: Лекции в Fordham University в Нью-Йорке; Юнг указывает на свои расхождения во взглядах с Фрейдом; звание почетного доктора.
1913	август: На лекциях Психологического меди-

цинского общества в Лондоне Юнг называет свою теорию «аналитической психологией». сентябрь: Мюнхенский конгресс Международного психоаналитического общества объявляет о разрыве между Фрейдом и Юнгом; повторное избрание Юнга президентом. Начало анализа собственного бессознательного, продолжающееся в течение нескольких лет.

1914   20 апреля: Уход с поста президента; в июле — выход из Психоаналитического общества.

1916   Основание Психологического клуба (из учеников Юнга) в Цюрихе.

Septem Sermones ad Mortuos (Семь наставлений мертвым), текст, возникший из анализа Юнгом своего подсознательного. *Трансцендентная функция*; *Структура бессознательного*.

1917/18   Капитан медицинской службы в английском лагере для интернированных в Château-d'Oex.

1921   *Психологические типы*.

1923   Смерть матери. Начало постройки башни на приобретенном в 1922 году участке в Боллингене на верхнем Цюрихском озере; последняя очередь сооружения закончена в 1955.

1920   Путешествие в Северную Африку.

1924/25   Экспедиция к индейцам пуэбло в Северную Америку.

1925/26   Экспедиция к элгонам на гору Элгон (Восточная Африка).

1928   *Отношения между Я и бессознательным*; *Об энергетике души*.

Начало изучения алхимии, на первом этапе — вместе с синологом Рихардом Вильгельмом.

1929	Комментарии к «Тайне золотого цветка» в переводе Р. Вильгельма.
1930	Вице-президент Германского медицинского общества психотерапии, вместе с Эрнстом Кречмером в качестве президента.
1931	*Проблемы души в наше время.*
1932	Литературная премия города Цюриха.
1933	После ухода Кречмера — исполняющий обязанности председателя Германского медицинского общества психотерапии до реорганизации в 1934.
	Начало лекций в Технической высшей школе в Цюрихе.
	август: начало ежегодных конференций общества «Эранос» в Асконе: доклад *Эмпирика процесса индивидуации.*
1934	май: Основание Международного медицинского общества психотерапии в Бад-Наухейме; президент и издатель журнала «Zentralblattes für Psychotherapie und ihre Grenzgebiete» (до 1939).
	август: Второй доклад на заседании общества «Эранос»: *Архетипы коллективного бессознательного. Действительность души.*
1934 —1939	*Психологические аспекты «Заратустры» Ницше,* английские семинары в Психологическом клубе Цюриха.
1935	Назначение на должность титулярного профессора Технической высшей школы Цюриха.
	Лекции в Лондоне об *Основах аналитической психологии.*
	К 60-летию со дня рождения: «Культурное зна-

чение комплексной психологии» (юбилейный сборник Психологического клуба Цюриха). Психологические комментарии к «Тибетской книге мертвых».

1936	Почетный доктор Гарвардского университета в Кембридже (Массачусетс).
1937	Лекции в Йельском университете в Нью-Хейвене (Коннектикут) о *Психологии и религии.*
1937/38	Поездка в Индию по приглашению британско-индийского правительства. Почетный доктор университетов Кулькутты, Бенареса и Аллахабада.
1938	В связи с Медицинским конгрессом по психотерапии в Оксфорде — присуждение степени почетного доктора наук Оксфордского университета.
1939	Почетный член Королевского медицинского общества в Лондоне.
1940	*Психология и религия,* публикация лекций.
1941	Совместно с Карлом Кереньи — «Введение в сущность мифологии». Лекции в Базеле и Эйнзидельне к 400-летию со дня смерти Парацельса.
1942	*Paracelsica.*
1943	15 октября: Назначение ординарным профессором психологии Базельского университета.
1944	Уход из университета после инфаркта сердца. *Психология и алхимия.*
1945	Почетный доктор Женевского университета в связи с 70-летием со дня рождения.
1946	*Психология и воспитание; Статьи по истории современности; Психология трансфера.*

1948	Основание института К. Г. Юнга в Цюрихе. *Символика духа.*
1950	*Формы бессознательного.*
1951	*Aion.* Последний доклад Юнга на заседании общества «Эранос»: *О синхронности.*
1952	*Символы трансформации; Ответ Иову.*
1953 и далее	В рамках Боллингенской серии в Нью-Йорке выходит *Собрание сочинений* Юнга.
1954	*О корнях сознания.*
1955	Почетный доктор Технической высшей школы в Цюрихе — в связи с 80-летием со дня рождения. *Mysterium Coniunctionis,* том 1. Психологические комментарии к «Книге великого освобождения».
1956	*Mysterium Coniunctionis,* том 2.
1957	Начало работы над *Воспоминаниями, сновидениями, размышлениями.— Настоящее и будущее.*
1958	*Современный миф.*
1959	*Добро и зло в аналитической психологии.*
1960	Том 16-й *Практика психотерапии* выходит в свет в виде первого тома *Собрания сочинений.* В связи с 85-летием — присвоение звания почетного гражданина города Кюснахта.
1961	*Approaching the Unconscious* (Подход к бессознательному), последнее, вначале написанное по-английски, введение в аналитическую психологию. 6 июня: После непродолжительной болезни К. Г. Юнг умирает в своем доме в Кюснахте. 9 июня: Похороны на кладбище в Кюснахте.

Отзывы современников

ИОЛАНДА ЯКОБИ

Юнгианская психотерапия — это не аналитический метод в обычном смысле этого слова, несмотря на то что она строго придерживается медицинских, научных и проверенных практикой предпосылок, необходимых для всех специальных исследований. Она является «путем к спасению» в двояком смысле этого слова. Она обладает всеми возможностями, чтобы излечить человека от его психических и связанных с ними психогенных заболеваний. Она располагает всеми средствами, чтобы устранить самое незначительное психическое нарушение, которое может послужить источником невроза, а также успешно бороться с самым тяжелым и чреватым осложнениями развитием болезни. Но наряду с этим она знает путь и обладает средствами для того, чтобы вести отдельного человека к его «спасению», к тому осознанию и совершенству собственной личности, которые с давних пор были целью всех духовных устремлений. По своей сути этот путь не поддается абстрактным толкованиям, так как с помощью теоретических построений и объяснений можно лишь до известной степени разобраться в учении Юнга.

Психология К. Г. Юнга. 1940

ГАНС БЛЮЭР

Смысл открытия К. Г. Юнга состоит в том, что он доказал существование объективно-психического.

Ось природы. 1952

Фрейд — это истинный и единственный основатель научной психологии... Правда, его мятежный ученик К. Г. Юнг с его открытием коллективного бессознательного заслуживает предиката гениальности.

Труды и дни. 1953

Рудольф Паннвиц

Весь труд Юнга можно было бы по своему содержанию охарактеризовать как феноменологию, сравнительную морфологию и мифологию функционирования души. Он охватывает широчайшие просторы и глубочайшие глубины, чтобы распознать, понять и направить душу в ее критических застоях и путешествиях по ее образным мирам.

Статьи о европейской культуре. 1954

Виктор фон Вайцзеккер

Именно К. Г. Юнг раньше всех понял, что психоанализ относится к сфере религии, точнее — к сфере того, что занимает место религии в наше время... Он, безусловно, был одним из наиболее значительных швейцарцев своего времени, и он разделил своеобразную судьбу этой страны, которую обошел рок, пощадили буря и, позднее, ураган этого времени... Юнг внес исключительный вклад в психотерапию, очеловечив ее и освободив от психоаналитического научного высокомерия. Благодаря ему стало ясно, в чем, собственно говоря, состоит кризис культуры.

Природа и дух. 1955

Людвиг Маркузе

Юнг был великим учеником Фрейда, который попытался примирить мир при помощи психоанализа.

Зигмунд Фрейд. 1956

Жан Гебзер

Нам кажется, что характер «комплексной психологии», составляющий залог ее будущности, может проявиться лишь тогда, когда общее развитие научного мышления сможет дистанцироваться от тех практик, которые еще слишком сильно опираются на доказуемое и слишком мало — на «настраивающее».

Западное преобразование. 1956

Отто Хендлер

При воспоминаниях о Карле Густаве Юнге самое сильное впечатление остается от самóй его личности, которая являлась не только носительницей гигантского труда, но и ключа к нему. Юнг был на редкость самобытным, полным энергии и непосредственным... Он воспринимал людей, вещи и идеи всей своей сутью, и именно поэтому — в подлинной встрече. Это восприятие было связано с его непосредственной впечатлительностью и глубокой способностью к страданию.

Пути к человеку. 1962

Адольф Кёберле

Теологические недостаточности и изъяны, присущие психологии Юнга, не должны тем не менее являться причиной для того, чтобы христианская церковь игнорировала труд его жизни. Ибо из психологии Юнга можно извлечь прозрения, имеющие огромное значение для обновления христианской церкви.

Христианское мышление. 1962

Ганс Трюб

Творческие достижения Юнга в области научной «глубинной психологии»... едва ли можно переоценить, однако необходимо быть исключительно осторожным при пересмотре его влияния на практическую психотерапию. Ибо как психотерапевт Юнг прежде всего исследователь. Решающее значение имеет то, что Юнг, очевидно, предпринял попытку осуществить самореализацию при помощи интроверсии и затем, выйдя за эти границы, свой собственный путь самоосуществления поднять теоретически и практически до всеобщей задачи исцеления... Несмотря на все те богатства, которые стали достоянием психологии благодаря исследованиям Юнга, представление о целостном человеке редуцировалось до душевной имманентности и из-за этого сделалось беднее.

Исцеление из-за встречи. 1962

Ульрих Манн

Мы должны попытаться воздать должное Юнгу своим стремлением понять его часто беззащитную и краткую речь с точки зрения его главной цели, а именно его полученные эмпирическим путем результаты осмыслить как необходимую часть единого целого.

Теологические дни. 1970

Виктор Э. Франкл

Необходимо подчеркнуть: его (Юнга) заслуга состоит уже в том, что он в свое время, то есть в начале века, осмелился определить невроз как «страдание души, не нашедшей своего смысла». Тем соблазнительнее аналитический психологизм, присущий аналитической психологии.

Человек в поисках смысла. 1972

Александр Мичерлих

Аналитическая психология Юнга — это, в сущности, нечто близкое духовному учению, а не наука — что ни в коем случае не является упреком; напротив, она представляет собой одну из немногих альтернатив позитивизму, который давно приобрел в мире ранг однопартийной системы. Только она больше ничего общего не имеет с либидо Фрейда.

Frankfurter Allgemeine Zeitung, 25. Mai 1974

Франц Альт

К. Г. Юнг может помочь в поисках смысла. Как едва ли какой-нибудь другой практический мыслитель нашего столетия, он дает множество указаний на более осмысленную жизнь: личную и политическую, общественную и религиозную, целостную.

К. Г. Юнг: Хрестоматия. 1983

Словарь юнгианских терминов

Амплификация. Расширение и углубление образа сновидения при помощи направленной ассоциации и исторических параллелей из области мифологии, мистики, фольклора, истории религии, искусства и т. п., что в конечном счете помогает прояснить его смысл.

Анима/анимус. Персонификация женского начала в бессознательном мужчины и мужского начала в бессознательном женщины; внутренняя установка, дополняющая внешний характер *персоны*.

Архетипы. Коллективные универсальные паттерны (модели) или устойчивые мотивы, возникающие из коллективного *бессознательного* и являющиеся основным содержанием религий, мифологий, легенд и сказок. Сами по себе архетипы чисто формальны, а содержанием наделяются лишь тогда, когда наполняются материалом сознательного опыта. У индивида проявляются в сновидениях, фантазиях и галлюцинациях.

Бессознательное. Психологическое понятие, покрывающее все те психические содержания или процессы, которые не осознаются, то есть которые не отнесены воспринимаемым образом к нашему *эго*. Различается индивидуальное бессознательное, представляющее собой совокупность всех вытесненных содержаний, всего забытого или воспринятого за порогом сознания в процессе жизни индивида. Но наряду с ним существует также коллективное бессознательное, которое складывается из универсальных и регулярно повторяющихся содержаний; сюда относятся инстинкты и *архетипы*.

Индивидуация. Процесс дифференциации, имеющий целью развитие индивидуальной личности. Индивидуация совпадает с развитием сознания из первоначального состояния тождества и всегда стоит в большей или меньшей противоположности к коллективной норме. Индивидуация означает расширение сферы сознания и достижения целостности, поэтому ее можно назвать «путем к себе» или «самоосуществлением».

Интроверсия. Тип *установки*, которую характеризует концентрация интересов исключительно на внутренних психических процессах.

Комплекс. Эмоционально нагруженная группа идей или образов. В «центре» комплекса находится *архетип* или архетипический образ.

Мандала. Изображение психического процесса, воссоздание

нового центра личности. Символически выражается при помощи круга, симметричного расположения некоего четырехкратного количества. В ламаизме и тантра-йоге является инструментом созерцания (янтра), местом рождения и пребывания божества.

Нуминозность. Термин, предложенный Рудольфом Отто (в его книге «Священное») для обозначения невыразимого, таинственного, пугающего, чуждого,— качеств, присущих лишь божественному при его непосредственном переживании.

Персона. Социальная роль человека, проистекающая из общественных ожиданий и обучения в раннем возрасте. Сильное *эго* соотносится с миром с помощью гибкой подвижной персоны; идентификация с отдельной персоной (доктор, ученый, артист и так далее) препятствует психологическому развитию.

Психоидный. Глубинный слой коллективного бессознательного, содержащий *архетипы*.

Самость. Центральный организующий *архетип* целостности и регулирующий центр личности. Некая сверхупорядочивающая величина по отношению к *эго*, включает в себя не только сознание, но и *бессознательное*. В бессознательных фантазиях самость часто возникает в виде сверхординарной или идеальной личности, вроде Фауста у Гёте или Заратустры у Ницше.

Синхронность. Термин, введенный К. Г. Юнгом для обозначения знаменательных совпадений или соответствий, необъяснимых с точки зрения причинно-следственных отношений и связанных с активизацией *архетипов* коллективного *бессознательного*.

Тень. Бессознательная часть личности, характеризующаяся чертами и отношениями, которые обычно отвергаются сознательным *эго*. Персонифицируется в сновидениях фигурами того же пола, что и сновидящий.

Тип. Характерный образец единой общей *установки*, встречающейся во многих индивидуальных формах. Различаются четыре основные типа: мыслительный, чувствующий, интуитивный и ощущающий.

Установка. Готовность психики действовать или реагировать в известном направлении, обусловленная наличием определенного сочетания психических факторов или содержаний. Различаются четыре установки, ориентирующиеся на четыре основные психологические *функции*: мышление, чувство, интуицию и ощущение.

Функция. Форма психической деятельности, которая принципиально остается равной себе при различных обстоятельствах.

Различаются четыре основные функции: две рациональные (мышление и чувство) и две иррациональные (ощущение и интуиция).

Четверичность (также **кватерность**). Универсальный *архетип*, являющий собой логическую предпосылку всякого целостного суждения. Часто имеет структуру 3+1, в которой один из элементов занимает особое положение или обладает несхожей с остальными природой. Именно «четвертый», дополняя три других, делает их чем-то «Единым», символизирующим универсум. В аналитической психологии «подчиненная» *функция* (то есть та функция, которая не находится под контролем сознания) часто оказывается «четвертой», а ее интеграция в сознание является одной из главных задач процесса индивидуации.

Эго. Комплекс идей, составляющий для индивида центр сознания. Осознание психических элементов происходит постольку, поскольку они отнесены к эго.

Экстраверсия. Тип *установки*, для которой характерна концентрация интересов исключительно на объектах внешнего мира.

Библиография

Наибольшая и наиболее важная часть произведений К. Г. Юнга вышла в издательстве Rascher в Цюрихе отдельными изданиями. Многочисленные работы разбросаны в различных сборниках и ежегодниках. Важные отдельные исследования находятся прежде всего в ежегодниках общества «Эранос» цюрихского Рейнского издательства, начиная с тома 1 (1993 и след.). Наряду с некоторыми избранными томами и вводными томами в издательстве Rascher подготавливается рассчитанное на 18 томов издание собрания сочинений К. Г. Юнга. Готовится полная библиография для заключительного тома. Англоязычное полное собрание выйдет в Англии и США. Трехтомное собрание писем (изд. А. Яффе и Г. Адлер) вышло в издательстве Walter, Olten — Freiburg. (1972 и след.). S. Freud/ C. G. Jung: Briefwechsel im S. Fischer Verlag. Frankfurt a. M., 1974.

1. *Произведения К. Г. Юнга*

а) Избранные произведения

Mensch und Seele. Aus dem Gesamtwerk ausgewählt von Jolande Jacobi. Olten—Freiburg i. B., 1971.

Welt der Psyche. Eine Auswahl zur Einführung. Zusammengestellt aus den Schriften C. G. Jungs von A. Jaffé und G. P. Zacharias. Zürich, 1954.— Taschenbuch: München, 1965.

Bewußtes und Unbewußtes/ Beiträge zur Psychologie/ Zusammengestellt aus den Schriften C. G. Jungs von A. Jaffé. Frankfurt a. M., 1957 (=Fischer-Bücherei. 175).

б) Отдельные издания главных произведений

Zur Psychologie und Pathologie sogenannter okkulter Phänomene. Leipzig, 1902 [in: Gesammelte Werke. Bd. 1].

Versuch einer Darstellung der psychoanalytischen Theorie. Neun Vorlesungen, gehalten 1912 an der Fordham University. Leipzig, 1913.— 2. Aufl. Zürich, 1955.

Psychologische Typen. Zürich, 1921 [in: Gesammelte Werke. Bd. 6].

Die Beziehungen zwischen dem Ich und dem Unbewußten. Darm-

Раздел дан в сокращении

stadt, 1928.—7. rev. Aufl. Zürich, 1966.

Das Geheimnis der Goldenen Blüte. Aus dem Chinesischen übersetzt von R. Wilhelm. Europäischer Kommentar von C.G. Jung. München, 1929.—5. rev. Aufl. Zürich, 1957; Neuaufl, 1965.

Seelenprobleme der Gegenwart. Vorträge und Aufsätze. Zürich, 1931.—5. rev. Aufl. 1950; Neuaufl, 1968.

Die Beziehungen der Psychotherapie zur Seelsorge. Zürich, 1932.— 2. Aufl. 1948.

Wirklichkeit der Seele. Anwendungen und Fortschritte der neueren Psychologie. Zürich, 1934.—4. Aufl. 1947.

Psychologie und Religion. Terry Lectures 1937, gehalten an der Yale University. Zürich, 1940.—4. rev. Aufl. 1962.

Paracelsica. Zwei Vorlesungen über den Arzt und Philosophen Theophrastus. Zürich, 1942.

C.G. Jung und Karl Kerényi: Einführung in das Wesen der Mythologie. Amsterdam — Leipzig, 1942.—4. rev. Aufl. Zürich, 1951.

Psychologie und Alchemie. Zürich, 1944.—2. Aufl. 1952.

Psychologie und Erziehung. Zürich, 1946.—3. Aufl. 1963.

Aufsätze zur Zeitgeschichte. Zürich, 1946.

Die psychologie der Übertragung. Zürich, 1946 [in Gesammelte Werke. Bd. 16].

Symbolik des Geistes. Zürich, 1948.—2. Aufl. 1954.

Gestaltungen des Unbewußten. Zürich, 1950.

Aion. Untersuchungen zur Symbolgeschichte. Zürich, 1951.

Symbole der Wandlung [Erweiterte und umgearbeitete Ausgabe von «Wandlungen und Symbole der Libido», 1912]. Zürich, 1952.

Antwort auf Hiob. Zürich, 1952.—4. Aufl. 1967.

Synchronizität als ein Prinzip akausaler Zusammenhänge [in: Jung-Pauli: Naturerklärung und Psyche]. Zürich, 1952 .

Von den Wurzeln des Bewußtseins. Zürich, 1954.

Mysterium Coniunctonis. 3 Bde. Zürich, 1955 — 1957.

Gegenwart und Zukunft. Zürich, 1957.—4. Aufl. 1964.

Ein moderner Mythus. Zürich, 1958.—2. Aufl. 1964.

Über die Psychologie des Unbewußten [8. verm. u. verb. Aufl. von «Das Unbewußte im normalen und kranken Seelenleben»]. Zürich, 1966.

Über psychische Energetik und das Wesen der Träume (Psycholog. Abhandlungen. Bd. 2) [3 verm. u. verb. Aufl. von «Über die Energetik der Seele»]. Zürich, 1965.

Zugang zum Unbewußten. In: Der Mensch und seine Symbole. Olten — Freiburg i. B., 1968.

в) Собрания сочинений

Произведения Юнга составлены по желанию автора на основе англоязычного издания полного собрания его сочинений: «Collected Works» Bollingen Series XX, Panteon, New York, und Routledge & Kegan Paul, Ltd., London; полное собрание сочинений на немецком языке появилось в издательстве Walter-Verlag, Olten (Freiburg i. B.).

1. Psychiatrische Studien (1966, 1978).
2. Experimentelle Untersuchungen — Studien zur Wort-Assoziation — Psychophysische Untersuchungen.
3. Psychogenese der Geisteskrankheiten (1968).
4. Freud und die Psychoanalyse (1969).
5. Symbole der Wandlung (1973, 1977).
6. Psychologische Typen (1960; rev. Ausg. 1967).
7. Zwei Schriften über Analytische Psychologie (1964, 1974).
8. Die Dynamik des Unbewußten (1967, 1977).
9. I. Teil: Die Archetypen und das kollektive Unbewußte.— II. Teil: Aion. Untersuchungen zur Symbolgeschichte (1967, 1978).
10. Zivilisation im Übergang (1974).
11. Zur Psychologie westlicher und östlicher Religion (1963, 1973).
12. Psychologie und Alchemie (1972, 1976).
13. Studien über alchemistische Vorstellungen (1978).
14. Mysterium Coniunctionis (I/II) (1968).
15. Über das Phänomen des Geistes in Kunst und Wissenschaft (1971).
16. Praxis der Psychotherapie (1958, 1976).
17. Über die Entwicklung der Persönlichkeit (1972).
18. I. u. II. Teil: Das symbolische Leben.
19. Bibliographie (1983).
20. Register (1992).
    Supplement-Bände: Briefe 1906 —1961 (I —III), 1972 —1973. Seminare: Kinderträume (1987); Traumanalyse (1928—1930), (1972—1973).

2. *Литература, вводящая в учение К. Г. Юнга*

JACOBI, JOLANDE: Die Psychologie von C.G. Jung. Eine Einführung in das Gesamtwerk. Zürich, 1940.— 6. Aufl. Olten — Freiburg i. B., 1972.

Erinnerungen, Träume, Gedanken. Aufgezeichnet und hg. von ANIELA JAFFÉ. Zürich-Stuttgart, 1963.— Neuaufl, 1967 [Autobiographisch].

Der Mensch und seine Symbole. Olten-Freiburg i. B. 1968.

WEHR, GERHARD: Carl Gustav Jung. Leben, Werk, Wirkung. München, 1985; Zürich, 1988 (Diogenes TB 21588).

3. *Библиография на русском языке*

а) Произведения К. Г. Юнга

Ю н г К . Г . Психоз и его содержание. СПб., 1909. 34 с.

Ю н г К . Г . Психологические типы/Пер. Е. И. Рузера, предисл. И. Д. Ермакова. М., 1924. 96 с.

Ю н г К . Г . Избранные труды по аналитической психологии/Под ред. Э. Метнера, в 4-х т.:

— Либидо. Его метаморфозы и символы. Цюрих, 1912. 475 с.

— Психологические типы. Цюрих, 1929. 475 с.

— Опыт изложения психоаналитической теории. Диагностика исследования ассоциаций. Структура бессознательного; др. статьи. 1939. 645 с.

— Психология раннего слабоумия. Конфликты детской души. Психоз и его содержание; др. статьи. Цюрих, 1939. 365 с.

Ю н г К . Г . Воспоминания, сновидения, размышления. (Главы из книги)//Урания. 1991. № 3. С. 1—14. То же//Азия и Африка сегодня. 1989. № 11, 12; 1990. №1.

Ю н г К . Г . Психология и поэтическое творчество. К пониманию психологии архетипа младенца//Самопознание европейской культуры XX в. С. 103—129.

Ю н г К . Г . Архетип и символ. М., 1991. 304 с. (Переводы работ Юнга разных лет).

Ю н г К . Г . Современность и будущее. Минск, 1991.

Ю н г К . Г . Феномен духа в искусстве и науке//Собр. соч. М., 1992. Т. 15. 314 с.

Ю н г К . Г . Проблемы души нашего времени. М., 1993. 330 с.

Ю н г К . Г . Один современный миф. О вещах, наблюдаемых в небе. М., 1993.

Ю н г К . Г . О современных мифах. Практика. М., 1994. 251 с.

Ю н г К . Г . Аналитическая психология. СПб., 1994. 132 с.

Ю н г К . Г . Психология бессознательного. М., 1994. 320 с.

Ю н г К . Г . Воспоминания, сновидения, размышления. Киев, 1994. 405 с.

Ю н г К . Г . Психологические типы. (Пер. С. Лорие, предисл. В. Зеленского). М., 1995. 717 с.

Ю н г К . Г . Ответ Иову. (Серия «История психологии в памятниках».) М., 1995. 352 с.

б) Литература о К. Г. Юнге

А в е р и н ц е в С . Аналитическая психология К. Г. Юнга и закономерности творческой фантазии//Вопросы литературы. 1972. № 3. С. 113—143; То же в кн.: О современной буржуазной этике. М., 1972. Вып. 3.

Б и б и х и н В . Философские взгляды В. Паули//Рациональное и иррациональное в современном сознании. 1987. Вып. 4. С. 28.

Б о н д а р е н к о Л . И . , Г а г л и н С . А . , Б а ж е н о в А . В . Психоанализ и культурология: Учебно-методическое пособие. Харьков, 1991. (Статьи К. Г. Юнга).

Б о с н а к Р . В мире сновидений. М., 1991. 95 с.

З е л е н с к и й В . Аналитическая психология Карла Густава Юнга: Методическое пособие к курсу «Глубинная психология». СПб., 1991. 50 с.

Л е й б и н В . М . Мистицизм и аналитическая психология К. Г. Юнга//Кризис современной религии и мистицизм. М., 1985. ИНИОН.

Р у т к е в и ч А . М . Юнг об архетипах современного бессознательного//Вопросы философии. 1988. № 11. С. 123—124.

С э м о э л с Э . , Ш о р т е р Б . , П л о т Ф . Критический словарь аналитической психологии К. Г. Юнга. М., 1994. 184 с.

У и л ь я м с Д . Пересекая границу... Психологическое изображение пути знания Карлоса Кастанеды. Воронеж, 1994. 192 с.

Ш а р п Д . Типы личности: Юнговская типологическая модель. Воронеж, 1994. 128 с.

Юнг о природе человека//Человек в контексте глобальных проблем. Под ред. В. Е. Ермолаевой. М., 1989.

Юнг и аналитическая психология (Прошлое и настоящее)//Ред.-сост. В. В. Зеленский и А. М. Руткевич. М., 1995. 320 с.

Хрестоматия по глубинной психологии. Ред.-сост. Л. А. Хегай. Вып. 1. М., 1996. 248 с.

Именной указатель

Курсивом набраны номера страниц, на которых
расположены иллюстрации

Об авторе

Герхард Вер, родился в 1931, учеба и служба в должности дьякона в евангелистско-лютеранской церкви Баварии; сейчас писатель, живет в Шварценбруке под Нюрнбергом.

Публикации (избранные работы): монографии издательства «Ровольт» о Мартине Бубере (1968), Якобе Бёме (1971), Томасе Мюнцере (1972), Пауле Тиллихе (1978), Майстере Экхарте (1989).— «К. Г. Юнг и Рудольф Штайнер» (Штуттгарт, 1972; теперь Diogenes ТВ 21810); «Внутренний путь. Антропософское познание и медитативная практика» (Райнбек, 1983, Штуттгарт, 1994); «По следам нехристианских еретиков» (Шаффхаузен, 1983); «К. Г. Юнг — жизнь, труд, воздействие» (Мюнхен, 1985); «Фридрих Риттельмайер, религиозное обновление как духовная связь между временами» (Вис, 1985); «Священная свадьба, символ и опыт человеческого развития» (Мюнхен, 1986); «Рудольф Штайнер — жизнь, познание, культурный импульс» (2-е доп. изд., Мюнхен, 1987); «Немецкая мистика» (Мюнхен, 1988); «Глубинная психология и христианство — К. Г. Юнг» (Аугсбург, 1990); «Середина жизни» (Мюнхен, 1991); «Внутренний Христос» (Цюрих, 1993); «Контрапункт: антропософия» (Мюнхен, 1993); «Самопознание через К. Г. Юнга» (Аугсбург, 1993; сейчас Herder/Spektrum 4376); «Эзотерическое христианство» (2-е доп. изд., Штуттгарт, 1995); «Духовные мастера Запада» (Мюнхен, 1995); «Труд из середины, продуктивная метаморфоза кризиса существования» (Петерсберг, 1995); «Святой Мартин, неизвестный философ» (Берлин, 1995).

Литературно-художественное издание

Герхард Вер

КАРЛ ГУСТАВ ЮНГ

Главный редактор *Н. Ф. Болдырев*
Редактор *И. С. Розин*
Художественный редактор *А. Ю. Данилов*
Технический редактор *А. И. Кунгурова*
Корректоры *З. Ф. Новикова, Г. А. Лисина*
Компьютерная верстка *К. А. Кузнецов*

Издательство «Урал LTD». ЛР № 064775 от 27.09.96
Подписано в печать 27.11.97. Формат 84×108/32
Бумага для ВХИ Краснокамской бумажной фабрики "Гознак"
Гарнитура Школьная. Печать офсетная
Усл. печ. л. 11,34. Уч.-изд. л. 7,75
Тираж 10 000 экз. Заказ № 4433

Издательство «Урал LTD»
при участии издательства «Урал-книга»
454091, г. Челябинск, ул. Постышева, 2

Отпечатано в издательско-полиграфическом комплексе «Звезда»
614600, г. Пермь, ГСП-131, ул. Дружбы, 34

ИЗДАТЕЛЬСТВО «УРАЛ LTD»

Впервые на русском языке
издает оригинальную переводную
биографическую серию
«ЧЕЛОВЕК-МИФ»,

составленную из книг,
выпущенных немецким издательством «Ровольт»
в 50 — 90-х годах нашего века

█ Открывает новую биографическую серию,
подготовленную к выходу в свет издательством
«Урал LTD», жизнеописание *Карла Густава Юнга*,
швейцарского врача, психолога и философа,
основателя «аналитической психологии».

█ Серия «Человек-миф» включает в себя лучшие
биографии выдающихся людей планеты; книги,
изданные одним из старейших западноевропейских
издательств — «Ровольт». Над переводами работали
и работают профессиональные переводчики — поэты,
писатели, философы.

█ Вслед за жизнеописанием К. Г. Юнга выходят
в свет до сих пор неизвестные нашему читателю
биографии **Райнера Мария Рильке, Германа Гессе,
Мартина Хайдеггера, Новалиса, Якоба Бёме, Сёрена
Кьеркегора,** а также жизнеописания **Иисуса Христа,
Стендаля, Чарли Чаплина, Альберта Эйнштейна,
Антуана де Сент-Экзюпери, Эмануэля Сведенборга**
и другие.

Ганс Эгон Хольтхузен
РАЙНЕР МАРИЯ РИЛЬКЕ,

*сам свидетельствующий о себе и о своей жизни
(с приложением фотодокументов и иллюстраций)*

■ Наиболее полная история жизни крупнейшего после Гёте поэта немецкого языка, которая опирается как на дневники, так и на почти неизвестное русскому читателю эпистолярное наследие Райнера Мария Рильке. *(Перевод поэта, философа, эссеиста Н. Ф. Болдырева).*

■ Захватывающе подробно в книге освещен таинственный процесс рождения "Дуинских элегий" — одного из поздних стихотворных сборников поэта, наряду со знаменитыми "Сонетами к Орфею". Не иначе как "германским Орфеем" и называла Рильке Марина Цветаева, для которой тот олицетворял высочайшую духовность и являл собою символ самой поэзии. Книга включает в себя также новый перевод знаменитой переписки Рильке с Цветаевой, а также впервые издаваемое на русском языке "Завещание" великого поэта — уникальный текст-документ, в исповедальной форме запечатлевший лирические итоги Рильке.

■ Художник-скиталец, никогда не имевший постоянного местожительства, и одновременно странник духа, Р. М. Рильке дважды приезжал в Россию, ощущал ее своей духовной родиной и мечтал перебраться сюда навсегда. В жизнеописании Г. Э. Хольтхузена приводятся дневниковые записи встреч Рильке с Толстым и другими крупнейшими деятелями русской культуры и искусства. Биографию дополняют стихи Рильке — средоточие нравственной чистоты, поэтической силы и психологических глубин.

Бернхард Целлер

ГЕРМАН ГЕССЕ,

сам свидетельствующий о себе и о своей жизни
(с приложением фотодокументов и иллюстраций)

▮ Книга рассказывает о художнике необычайной судьбы, великом немецком писателе, нобелевском лауреате. Все творчество автора таких значительных произведений, как романы "Сиддхартха", "Степной волк", "Игра в бисер", построено на автобиографических мотивах и, подобно жизни самого Гессе, является грандиозной симфонией. В центре творчества писателя всегда стояла своенравная, стремящаяся к самовыражению и самоутверждению личность. Недаром Гессе на рубеже 60—70-х годов становится кумиром "бунтующей молодежи", святым в пантеоне хиппи, самым читаемым европейским писателем в Японии и США. Каждая его книга — это "биография души", роман внутренней жизни личности, напряженного существования ума. Гессе — это "загадочный паломник" не только в "Страну Востока". Одна из наиболее сложных фигур западноевропейской культуры XX века, он "собирал" духовность со всего мира — христианскую, индуистскую, буддистскую, даосскую; обогащал ее древнеегипетской и древнеперсидской, преломлял в духе философии Шопенгауэра и Ницше, психологии Фрейда и Юнга, осмысливал в контексте "русской идеи" Достоевского.

▮ Биографическое повествование Б. Целлера построено на собственных дневниковых записях Гессе. Книга необычайно щедро иллюстрирована — вниманию читателя предлагается около 60 малоизвестных фотографий.

ИЗДАТЕЛЬСТВО «УРАЛ LTD»

приглашает к сотрудничеству

переводчиков, литераторов, авторов индивидуальных и коллективных проектов, гуманитариев всех профилей: ждем ваших рукописей, издательских идей, предложений и т. п.

С вашей помощью мы рассчитываем осуществить поиск и дальнейшее издание новых занимательных и познавательных книг различных направлений, в том числе биографической, научно-популярной литературы, беллетристики, справочников, изданий по искусству и т. д., представляющих интерес для современного читателя.

Пишите, звоните, заходите!

Наш адрес: *454091, г. Челябинск, ул. Постышева, 2*
Телефон редакции: *(3512) 61-50-24, 61-50-25 (факс)*

ПО ВОПРОСАМ ОПТОВЫХ ПОСТАВОК ОБРАЩАТЬСЯ:

РОССИЯ

Челябинск, ИЗДАТЕЛЬСТВО «УРАЛ»
    454091, г. Челябинск, ул. Постышева, 2
    Тел.: (3512) 61-50-28, 61-50-29 (отдел сбыта); 61-50-25 (факс)
Москва, ТОО ИЗДАТЕЛЬСТВО «АПАЧИ»
    105023, г. Москва, ул. Малая Семеновская, 11а, стр. 4, офис 42а
    Тел.: (095) 964-14-57, 964-14-80
Екатеринбург, ТОО «ПОЛИБУК»
    620027, г. Екатеринбург, ул. Азина, 42а. Тел.: (3432) 53-87-54